URGENT BESOIN D'INT
de Chantal Cadieux
est le cinq cent quinzième ouvrage
publié chez
VLB ÉDITEUR.

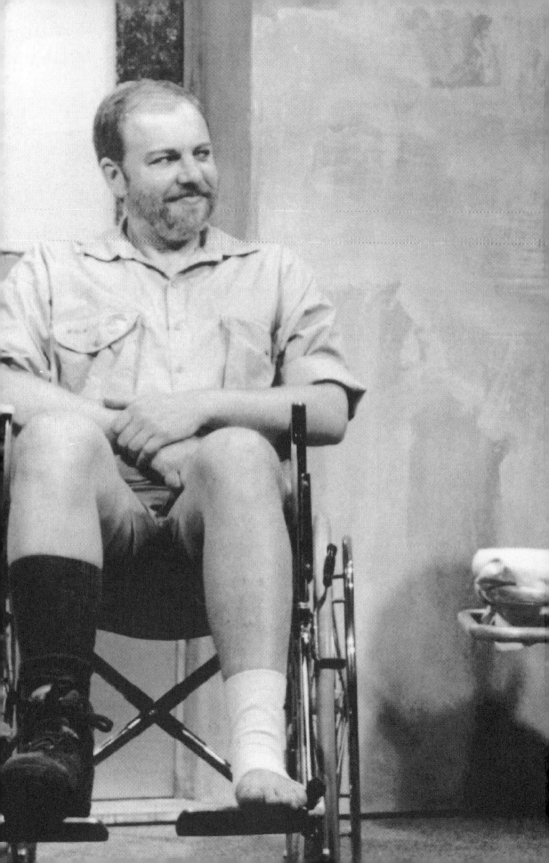

de la même auteure

Samedi trouble, Montréal, Boréal Inter, 1992, 223 p.

Éclipse et jeans, Montréal, Fides, 1987, 151 p.

Longueurs d'ondes, Montréal, Fides, 1987, 116 p.

Chantal Cadieux

Urgent
besoin d'intimité

théâtre

vlb éditeur

VLB ÉDITEUR
Une division du groupe Ville-Marie Littérature
1010, rue de la Gauchetière Est
Montréal, Québec H2L 2N5
Tél.: (514) 523-1182
Télécopieur: (514) 282-7530

Maquette de la couverture: Christiane Houle
Photos de la couverture et intérieures: Jean-Guy Thibodeau
Mise en pages: Édiscript enr.

DISTRIBUTEURS EXCLUSIFS:

• Pour le Québec, le Canada et les États-Unis:
LES MESSAGERIES ADP*
955, rue Amherst, Montréal, Québec H2L 3K4
Tél.: (514) 523-1182
Télécopieur: (514) 939-0406
* Filiale de Sogides ltée

• Pour la Belgique et le Luxembourg:
PRESSES DE BELGIQUE S.A.
Boulevard de l'Europe, 117, B-1301 Wavre
Tél.: (10) 41-59-66
       (10) 41-78-50
Télécopieur: (10) 41-20-24

• Pour la Suisse:
TRANSAT S.A.
Route des Jeunes, 4 Ter, C.P. 125, 1211 Genève 26
Tél.: (41-22) 342-77-40
Télécopieur: (41-22) 343-46-46

• Pour la France et les autres pays:
INTER FORUM
Immeuble ORSUD, 3-5, avenue Galliéni, 94251, Gentilly Cédex
Tél.: (1) 47.40.66.07
Télécopieur: (1) 47.40.63.66
Commandes: Tél.: (16) 38.32.71.00
Télécopieur: (16) 38.32.71.28
Télex: 780372

© VLB ÉDITEUR et Chantal Cadieux
Dépôt légal — 2e trimestre 1994
Bibliothèque nationale du Québec
ISBN 2-89005-580-9

URGENT BESOIN D'INTIMITÉ
de Chantal Cadieux
a été créée au bateau-théâtre L'Escale
pendant la saison estivale 1991
dans une mise en scène de Gilbert Lepage
assisté de Claude Lemelin
des décors d'Augustin Rioux
des costumes d'Odette Gadoury
des éclairages de Claude Roy

avec
Nicole Leblanc ou Rita Lafontaine* (Rachel)
Vincent Bilodeau (Jean)
André Robitaille (Stéphane)
Annick Bergeron (Odile)
et Martine Francke (Carole-Anne)

---

* Le rôle, créé en collaboration par les deux comédiennes, a été joué par Nicole Leblanc durant la première partie de l'été et par Rita Lafontaine durant la deuxième.

PERSONNAGES

RACHEL: 48 ans. La mère. Enseignante dans une école primaire alternative. Croit aux bienfaits des algues, a peur des maladies, de la mort, consulte une encyclopédie médicale avec acharnement. Femme de caractère, se retrouve dans son désordre. Se garde jeune. N'a qu'un seul but: être seule avec son mari. Aime John Lennon.

Style vestimentaire: vêtements amples et colorés.

JEAN: le père. Directeur d'une caisse populaire. Aimerait avoir un certain contrôle (qu'il n'a pas!) sur sa famille. Est aux prises avec un père tentaculaire dont il veut s'affranchir. Vient de lire un livre sur les relations père-fils qui l'a transformé. S'en remet aux ondes positives, à la visualisation du positif sous toutes ses formes.

Style vestimentaire: mode, jeune.

STÉPHANE: 26 ans. Le fils. L'éternel étudiant. A du mal à se prendre en main. Ne sort pas de l'adolescence. A des réserves face à l'amour, à la vie. A horreur du pouvoir de l'argent, préfère en emprunter plutôt qu'en gagner.

Style vestimentaire: jeans, sûrement une veste de cuir...

ODILE: 25 ans. La fille. Excessive, parfois incohérente dans son discours, nerveuse, recherche l'amour, est toujours déçue. Se perd dans le travail. Emprunte continuellement des choses à sa mère qu'elle a pourtant les moyens de se payer.

Style vestimentaire: de bureau, classique.

CAROLE-ANNE: 18 ans. L'amie de Stéphane. Franche, directe, débrouillarde, a souvent raison. Est tout de suite familière avec les gens. Est de cette génération qui prend les vrais mots pour dire les vraies choses, sans rougir.

Style vestimentaire: originale, magasine sûrement dans les friperies, bottines Dr. Marten.

DÉCOR

1re partie: Le salon d'une maison en rénovation avec deux sorties: une qui donne sur l'extérieur, l'autre sur les chambres et la salle de bain, qu'on ne voit pas. La forêt.

2e partie: Une salle d'attente d'hôpital en rénovation avec banc et civière. Le salon de la maison toujours en rénovation.

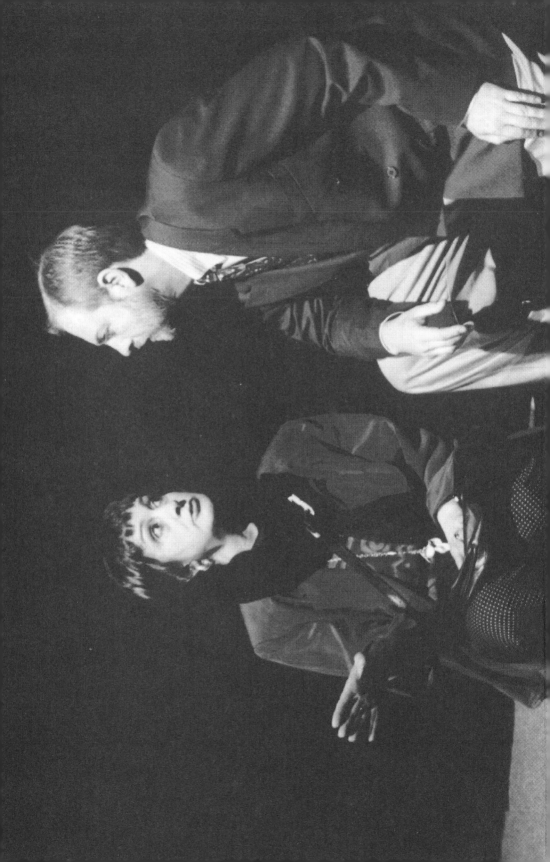

SCÈNE 1

Rachel et Jean... Stéphane et Odile

Du fond de la salle arrive Rachel d'un pas énergique et contrarié. Elle est suivie de Jean qui tente de la retenir.

JEAN

Attends!

RACHEL

Lâche-moi.

JEAN

Attends-moi.

RACHEL

Eille! On se chicanera pas devant les voisins, certain!

JEAN

On va avoir le temps de faire tout ce que tu avais envie de faire.

RACHEL

Parce que tu sais ce que j'avais envie de faire?

JEAN

Ben! Un petit rendez-vous secret, à la maison, en plein après-midi... Ça veut tout dire.

RACHEL

Je voulais seulement qu'on parle des enfants.

JEAN

Rachel, attends!

> *Rachel monte l'escalier qui mène à la maison. Elle s'arrête.*

RACHEL

On avait dit trois heures.

JEAN

J'ai été retardé à la caisse. Un prêt pour un jeune couple qui veut s'acheter une maison.

RACHEL

Ça pouvait pas attendre?

JEAN

Je pouvais pas leur faire ça! Ça m'émeut de voir des jeunes qui mordent dans la vie.

RACHEL

Tu fais bien d'en profiter au bureau parce que nos enfants sont pas tellement émouvants de ce côté-là.

JEAN

Ils sont pas si pires que ça. Stéphane a un peu de misère à se prendre en main...

RACHEL

Un peu?

JEAN

Je vais lui parler.

RACHEL

C'est pourtant pas les occasions qui manquent. Il est toujours là!

JEAN

Ça donne rien d'être brusque. Il a pas encore senti l'appel de la nature.

RACHEL

«Il a pas encore senti l'appel de la nature», elle est bonne! T'as l'art de «poétiser» les affaires, toi.

JEAN

J'ai pris ça dans un livre.

RACHEL

Pis dans ce charmant livre-là, est-ce qu'ils donnent des recettes pour le provoquer «l'appel»?

JEAN

Ben...

RACHEL

Jean, sincèrement, trouves-tu que j'exagère?

JEAN

Par rapport aux enfants?

RACHEL

J'ai tellement envie qu'on se retrouve juste tous les deux.

JEAN

T'es pas toute seule, ma «pich'notte»!

RACHEL

C'est rendu que pour avoir un peu d'intimité, faut se donner rendez-vous quand les enfants sont pas là.

JEAN

Je sais…

RACHEL

Si au moins t'étais à l'heure!

JEAN

C'est pas évident pour moi de me libérer, en plein après-midi.

RACHEL

Pour moi non plus! On est en train de virer fou. Penses-y deux secondes: est-ce normal qu'un couple s'oublie à ce point-là pour ses enfants? Qu'est-ce que tu veux qu'on fasse de plus pour les partir dans la vie? On les fera pas vivre jusqu'à leur pension! Je te le dis: on n'a pas à se sentir coupable de vouloir s'en débarrasser.

JEAN

Rachel!

RACHEL

De pus vouloir les garder, je veux dire.

JEAN

Je le sais.

RACHEL

C'est normal d'être à bout après vingt-cinq ans.

JEAN

C'est plus que normal. C'est légitime. On rentre-tu?

RACHEL

Vingt-cinq ans pis vingt-six ans.

JEAN

Si c'est pas plus! T'as pas tes clés?

RACHEL

Vingt-sept, si on compte le temps que je les ai portés!
On a fait notre part.

JEAN

On rentre pas?

RACHEL

On n'a jamais fait allusion au départ de Stéphane de la
maison.

JEAN

Ben non...

RACHEL

On n'a jamais mis Odile à la porte.

JEAN

On aurait dû! Je veux dire, on l'a jamais fait.

RACHEL

J'ai l'air d'une vraie folle, moi! Je prêche l'autonomie des enfants dans une école alternative, mais je fais encore vivre mes deux grands veaux.

> *On entend une auto qui s'arrête. Stéphane monte l'escalier opposé avec quelques rouleaux de papier peint. Il entre dans la maison en chantier. Un amas de bagages est aussi en place.*

RACHEL

Stéphane!

JEAN

Chut! *(Il s'appuie sur le mur pour ne pas être vu par l'intrus et entraîne Rachel à faire de même.)*

RACHEL

Qu'est-ce qu'il fait ici, lui?

> *Dans la maison, Stéphane déroule un rouleau de papier peint, prend des mesures...*

JEAN

Moi qui pensais qu'on aurait le temps de... *(Il sifflote.)*

RACHEL

Ben ton chien est mort! Tu sais qu'encore ce matin, il m'a demandé mon auto.

JEAN

Pis tu lui as passée.

RACHEL

Qu'est-ce que tu voulais que je dise?

JEAN

Non.

RACHEL

J'ai toujours donné, c'est normal que j'aie pas le tour de refuser. Pis t'es pas mieux que moi. Ton manteau de cuir, tu l'as pas porté deux fois qu'Odile l'avait déjà perdu.

JEAN

J'ai oublié ça.

RACHEL

C'est ça le problème avec elle: on oublie toujours tout! Jean, qu'est-ce qu'on va faire d'eux autres?

JEAN

Toujours ben pas pour les mettre carrément dehors.

RACHEL ET JEAN

(Machiavéliques.) Ben…

JEAN

On peut vendre la maison.

RACHEL

Jamais! J'ai presque fini de l'arranger à mon goût.

> *À ce moment, on entend une deuxième auto qui s'arrête. Odile monte l'escalier emprunté par Stéphane quelques minutes plus tôt. Ce dernier, toujours dans la maison, grimpe dans un escabeau pour dérouler son papier peint sur le mur. Il s'agit d'un paysage de forêt.*

JEAN

Odile!

RACHEL

Là, ton chien est plus que mort: il est enterré.

> *D'un pas assuré, Odile traverse la maison. Jean et Rachel tendent l'oreille.*

ODILE

Si c'est pas mon amour de frère! *(Elle sort sortie-chambre.)*

STÉPHANE

Qu'est-ce que tu fais ici, toi?

JEAN

Ouan?

RACHEL

(À Jean:) Elle part pour la fin de semaine avec un gars.

JEAN

(Les mains jointes dans une prière.) Si elle pouvait le garder plus que deux semaines!

RACHEL

Combien tu gages qu'elle est venue vider mes tiroirs avant de partir?

> *Odile sort de la chambre, les bras chargés des choses qu'elle emprunte à Rachel: un séchoir à cheveux, un grand sac à main, une paire de soulier et un parapluie.*

ODILE

(À Stéphane:) Maman interdit qu'on décore à sa place.

RACHEL

(Elle essaie de voir.) Si quelqu'un ose se mêler de mes rénovations, je sais pas ce que je lui fais!

STÉPHANE

(À Odile:) Faut ben qu'elle finisse par finir! C'est pus une maison qu'on a, c'est un chantier de construction. C'est pus vivable!

ODILE

Je te le fais pas dire.

RACHEL

C'est ben en quoi, s'ils sont pas contents, qu'ils partent!

JEAN

Chut!

STÉPHANE

(À Odile:) Tu y as pas été de main morte dans l'emprunt! Maman t'as pourtant déjà interdit de fouiller dans ses affaires.

ODILE

Là, j'ai pas le choix. J'ai besoin de son parapluie, pis j'ai pas le temps de l'attendre pour lui demander sa permission.

STÉPHANE

T'as juste besoin de son parapluie?

ODILE

De quelques petites affaires... *(Elle retourne dans la chambre.)*

RACHEL

De quelques petites affaires! Notre set de chambre peut-être? *(À Jean:)* Tu sais qu'elle s'arrange pour venir avant 4 h 30 pour être certaine que je suis pas là pour l'empêcher de tout prendre! Je vais finir par l'étrangler.

JEAN

On a besoin de vacances.

RACHEL

Ah! Je sais pas ce que je donnerais pour partir en fin de semaine!

JEAN

En parlant de fin de semaine...

RACHEL

On réserve-tu une belle petite chambre dans une auberge? Quelque chose de romantique où on passerait nos journées tout nus... comme John Lennon pis Yoko Ono.

STÉPHANE

(Aux prises avec son papier peint, à Odile:) Moi aussi, je pars pour la fin de semaine.

ODILE

(Sortant de la chambre:) Est-ce que je connais la fille qui voit pas clair?

STÉPHANE

La flèche est drôlement bien empoisonnée, mais je pars pas avec une fille. Non. Week-end d'homme.

ODILE

Avec qui?

STÉPHANE

Avec Jean.

ODILE

Papa? Comment ça?

STÉPHANE

Tu y demanderas.

RACHEL

(À Jean:) Comment ça?

JEAN

J'ai pensé prendre la fin de semaine pour lui parler.

RACHEL

La fin de semaine! C'est pourtant pas long ce qu'on a à lui dire (en direction de Stéphane): Chnaille!

ODILE

Vous allez où?

STÉPHANE

Canot-camping.

ODILE et RACHEL

Quoi?

Les deux femmes rient.

JEAN

(À Rachel:) Je viens de finir un livre sur les relations père-fils, pis ils racontent comment les pères des tribus africaines initient leurs fils au monde adulte en les amenant en pleine jungle.

STÉPHANE

(Qui n'en revient pas lui-même:) Canot-camping.

RACHEL

Stéphane a jamais été fort sur les scouts.

JEAN

Je te parle pas des scouts. Je te parle d'un week-end d'hommes pendant lequel on va discuter de sujets d'hommes.

STÉPHANE

(À Odile:) Qu'est-ce qu'y a de drôle là-dedans?

ODILE

Je payerais cher pour voir ça!

RACHEL

Moi aussi!

STÉPHANE

(À Odile:) Ça veut-tu dire que tu peux me passer un vingt?

ODILE

T'as même pas vingt piastres dans tes poches? *(Elle sort sortie-chambre.)*

JEAN

(À Rachel:) Je pense qu'en faisant une espèce de retour aux sources, je pourrai arriver à lui faire comprendre qu'il est temps qu'il fasse sa vie.

RACHEL

Pis où c'est que tu vas l'amener pendant que je vais me dire que je me prive encore pour mes enfants? Au jardin botanique? Y a pas grand jungle dans les alentours.

JEAN

(Vexé.) J'essaye de trouver une solution.

RACHEL

Moi aussi. Mais j'en cherche une qui nous rapproche, pas qui nous sépare. Là, je vais devoir passer une belle fin de semaine romantique avec mon moi-même.

JEAN

Je le sais que c'est plate.

RACHEL

Veux-tu dire que je suis ennuyante?

JEAN

Non!

RACHEL

T'étais mieux. Je vais en profiter pour relaxer: je vais jeter le mur du salon à terre.

JEAN

Encore?

RACHEL

C'est définitif, là. Je préfère un salon ouvert. J'ai besoin d'air!

Odile revient.

ODILE

Voyons, où c'est qu'elle le met son chapeau de paille avec un voile?

STÉPHANE

Je le sais-tu, moi!

RACHEL

Je l'ai caché!

ODILE

(Pour elle-même:) Où?

RACHEL

(À Jean:) Dans le congélateur. C'est certain qu'elle pensera pas de regarder là.

STÉPHANE

(À Odile:) Pis le vingt piastres? Rappelle-toi ma p'tite sœur, c'est normal d'être cassé quand on est étudiant.

ODILE

Vas-tu rester étudiant toute ta vie?

STÉPHANE

Revire pas le fer dans la plaie! C'est déjà assez humiliant pour moi de te demander ça.

ODILE

On dirait pas. *(Elle sort sortie-chambre.)*

JEAN

(À Rachel:) J'ai réservé un canot au Petit lac d'Argent.

RACHEL

(Très étonnée, voix forte:) Un quoi?

> *Du haut de son escabeau, Stéphane cherche d'où vient la voix...*

JEAN

(À Rachel:) Pas si fort! Les enfants vont nous entendre. On va avoir l'air de quoi cachés sur la galerie d'en arrière?

STÉPHANE

(À Odile qui revient:) Je vais te rembourser. Donne-moi juste un peu de temps.

ODILE

Deux, trois ans?

STÉPHANE

Aussitôt que j'ai un emploi stable.

ODILE

C'est un placement à long terme.

STÉPHANE

L'air de rien, c'est un choix réfléchi que je fais.

ODILE

L'air de rien, je te le fais pas dire. J'en ai fait un choix, moi, pis ça fait deux ans que je gagne ma vie. Je la gagnais même avant.

Rachel éclate de rire.

JEAN

(À Rachel:) Chut!

STÉPHANE

Et de quelle façon? J'ai jamais été pour le mariage tout court, ça fait qu'encore moins pour les mariages de prêts et bourses.

ODILE

Ça m'a permis de donner du lousse à papa pis maman.

Jean éclate de rire à son tour.

RACHEL

(À Jean:) Chut!

STÉPHANE

Depuis qu'on est nés qu'ils planifient nos études. Je vois pas en quoi ils s'attendaient à avoir du lousse.

ODILE

Avec toi, ils doivent pus s'attendre à en avoir en tous cas!

STÉPHANE

C'est la vie, ça!

RACHEL

C'est l'enfer!

JEAN

L'enfer!

RACHEL ET JEAN

C'est l'enfer! Chut!

STÉPHANE

Quand je vais avoir des enfants, je vais faire la même chose. Je te dis que j'ai hâte qu'on parle d'autre chose que d'argent dans cette maudite maison-là!

ODILE

Qu'est-ce qui t'oblige à rester?

RACHEL

Ouan?

STÉPHANE

Toi, c'est ma chambre que tu veux, han? Tu l'as pas pris que Rachel transforme la tienne en serre.

ODILE

Je changerais jamais mon appartement pour une chambre chez mes parents.

RACHEL

Il manquerait pus rien que ça.

STÉPHANE

T'es toujours rendue ici, qu'est-ce qu'il te donne tant que ça, ton appartement?

JEAN ET RACHEL

Ouan?

ODILE

(Pour elle-même:) J'ai le goût d'un barbecue, moi. Y doit ben rester quelques t-bones dans le congélateur.

RACHEL

Mon chapeau! *(À Jean:)* Si ça fonctionne pas ta fin de semaine de cow-boy, je vais reprendre la patente en main pis là je t'avertis que ça va chauffer!

JEAN

On part vers 6 heures. Peux-tu venir nous reconduire?

RACHEL

Je pensais qu'un week-end d'hommes, ça s'arrangeait entre hommes. Demande à ton père.

JEAN

Jamais! Il va vouloir venir avec nous autres.

RACHEL

Ça veut dire que c'est moi qui va être prise avec? Prends ton auto.

JEAN

Je veux qu'on parte à pied. Comme des vrais guerriers.

Là-dessus, Jean quitte.

RACHEL

Comme des vrais quoi?

Odile revient avec le chapeau de paille.

RACHEL

Mon chapeau! Elle l'a trouvé!

Rachel quitte à son tour.

ODILE

(À Stéphane:) L'Alzheimer, ça commence à quel âge?

STÉPHANE

Y en a qui ont ça à trente ans, pourquoi?

ODILE

Pour rien. Pauvre maman!

Odile range ses t-bones dans son sac.

STÉPHANE

Odile, qu'est-ce que c'est pour toi un p'tit vingt piastres?

ODILE

Bob m'attend dans l'auto.

STÉPHANE

Bob qui? Depuis le temps, il doit être asphyxié.

ODILE

S'il m'a fait ça, je le tue.

STÉPHANE

Odile, je suis dans le besoin.

ODILE

Ben non, papa t'invite.

STÉPHANE

Mon autonomie, qu'est-ce que t'en fais?

ODILE

T'as un bon point, là. *(Elle sort son porte-monnaie, lui donne un billet de vingt et note.)* Avec ce vingt-là, ton autonomie s'élève à six cent soixante-quinze et trente-cinq.

STÉPHANE

Je te rembourse quand je peux.

ODILE

Mer…

STÉPHANE

Mer? Ah, non, pas mercredi qui vient! Je suis pas capable.

ODILE

Mer-ci.

STÉPHANE

Ah, oui! Elle est bonne! Mer, merci…

ODILE

Y a pas de quoi. Bye!

Son sac sur l'épaule, Odile sort.

STÉPHANE

Bye!

SCÈNE 2

Stéphane, Rachel, Jean et Odile

Stéphane est toujours grimpé dans l'escabeau. On entend des pneus crisser. Rachel entre, énervée.

RACHEL

Y a un fou qui vient de tourner le coin! C'est ben simple, je me suis vue en première page de *La Presse*: professeur dynamique happée par un chauffard!

STÉPHANE

(Pour lui-même:) Il niaise pas avec ça, une belle-mère, lui!

RACHEL

Qu'est-ce que tu fais là, toi?

STÉPHANE

Je prends de l'avance sur ton retard. J'avais du temps, j'ai abandonné un de mes cours…

RACHEL

Encore!

STÉPHANE

(Ferme:) Je sais ce que je fais.

RACHEL

J'espère! Depuis le temps que t'es à l'école!

STÉPHANE

Qu'est-ce que tu veux insinuer?

RACHEL

Rien! *(Apercevant la lisière de papier peint sur le mur:)* Que c'est ça?

STÉPHANE

C'est relaxant, non?

RACHEL

J'ai horreur de la tapisserie. Descends.

STÉPHANE

Tu stresses, Rachel. Je veux juste voir ce que ça va donner avant de coller pour de bon.

RACHEL

Maudit! Il me reste rien qu'une pièce, une toute petite pièce, à rénover dans ma maison! À mes propres frais en plus! Me semble que je devrais avoir le monopole de la décoration!

STÉPHANE

Ça fait des mois qu'on vit dans le bran de scie! Je suis tanné.

RACHEL

Pas moi! J'ai besoin de changement et je ne demande l'avis de personne là-dessus.

STÉPHANE

(Descendant de l'escabeau:) Qu'est-ce que ça donne de vouloir rendre service?

RACHEL

(Arrachant la tapisserie des mains de Stéphane:) Un cauchemar! Moi qui tends vers l'épuration de mon décor!

STÉPHANE

L'épuration, l'épuration! Faut quand même qu'y ait un peu de relief. Maman, quand c'est pas le salon, c'est la cuisine que tu rénoves. Pis t'élimines presque tous les meubles! Je sais même pus où m'asseoir!

RACHEL

(Enroulant le papier peint:) Assis-toi pus.

STÉPHANE

Je sais pas comment papa y fait. À sa place, j'aurais pas survécu.

RACHEL

Je te ferai remarquer que tu vis avec moi depuis aussi longtemps que lui.

Le téléphone sonne.

STÉPHANE

Grand-papa! *(Moqueur:)* Est-ce que je réponds ou si personne d'autre que toi peut utiliser «ton» téléphone?

> *Plus amusée que fâchée, Rachel frappe Stéphane sur la tête avec le rouleau de papier peint avant de le lui remettre pour aller répondre.*

RACHEL

Allô? *(Fausse joie.)* Beau-papa!... Comment ça, vous l'êtes pus? Non, non, ça me fait pas de peine du tout... Non, Jean est pas encore arrivé... Je le sais pas... je le sais pas... je le sais pas... Oui, malheureusement pour vous, on est encore mariés! ... Stéphane est pas là non plus. *(Stéphane veut protester, Rachel lui fait signe de se taire.)* C'est ça... c'est ça... c'est ça... pardon?... Il a raccroché!

> *Rachel raccroche à son tour, les nerfs en boule.*

STÉPHANE

Il est-tu prêt?

RACHEL

(Désespérée.) Tu l'as pas invité à souper toujours?

STÉPHANE

Pas à souper, en camping.

RACHEL

Ton père va juste t'assommer avec le canot!

Jean entre à ce moment, une cagoule en moustiquaire sur la tête. Il tient une autre cagoule et deux énormes cannes à pêche. Il pète le feu.

JEAN

(À Stéphane:) Salut, coureur des bois! *(À Rachel:)* Bonsoir, belle amazone! Patte de gibier est de retour!

RACHEL

Quelle joie...

STÉPHANE

(Recevant une canne de la part de Jean:) Que c'est ça?

JEAN

Une canne à pêche! Je les ai empruntées à une des caissières. Ça traînait dans son garage.

RACHEL

(À Jean:) T'aurais pu choisir des instruments un peu plus modernes!

JEAN

Une canne à pêche, ça reste une canne à pêche!

STÉPHANE

(À Jean:) Sais-tu comment ça marche?

JEAN

Ça doit pas être ben malin!

Le téléphone sonne.

STÉPHANE

Grand-papa!

RACHEL

(À Jean:) Ton père.

JEAN

Ah, non!

STÉPHANE

(Tenant haut sa canne à pêche:) Il saurait quoi faire avec ça, lui!

RACHEL

Stéphane, je t'en prie… Jean, réponds-tu?

JEAN

Non.

RACHEL

Il a appelé y a pas deux minutes.

JEAN

Il va vouloir venir!

RACHEL

(Regardant Stéphane:) Il aurait pas de raison, pourtant. *(Elle répond.)* Allô, oui?

JEAN

(À Stéphane:) Je veux pas qu'il vienne!

STÉPHANE

Pourquoi?

RACHEL

(Au grand-père:) Je le sais pas… Je le sais pas… Il doit avoir été retenu à la caisse.

JEAN

(À Stéphane:) Je pars avec toi. Je veux qu'on discute.

RACHEL

(Au grand-père:) Je le sais pas… Je le sais pas…

STÉPHANE

Dis-y que tu veux pas l'amener. Il va comprendre.

JEAN

Avant d'être à sa retraite, il aurait compris. Pus là.

RACHEL

(Au grand-père:) Attendez donc une seconde, j'entends une grosse mouche voler. *(À Jean, tout bas:)* Parle moins fort, il va t'entendre! *(Au grand-père:)* Monsieur Arsenault? *(Il a raccroché.)* Monsieur Arsenault? *(Raccrochant à son tour.)* Ah, ben qu'y mange de…

STÉPHANE

(L'interrompant, sévère.) Maman!

RACHEL

Il a raccroché! Il me fait ça depuis quelque temps! Quand ça fait pas son affaire, il raccroche!

JEAN

Tu y parles fort pas mal.

RACHEL

Ben, la prochaine fois, tu lui parleras. S'il appelle pas dix fois par jour, il appelle pas!

STÉPHANE

On vit dans une société qui met au rancart et les enfants encombrants qui veulent aider leur mère et les vieillards.

RACHEL

Si ça te brise le cœur tant que ça, occupe-toi-z-en donc de ton grand-père.

STÉPHANE

O.K.! On va l'emmener en camping avec nous autres. *(À Jean:)* C'est ben beau discuter, mais à un moment donné, on n'aura pus d'idées.

RACHEL

Ça promet...

JEAN

Stéphane! On prend jamais le temps de jaser ensemble. Toi-même, tu me l'as déjà reproché.

RACHEL

Y a une couple d'années de ça.

STÉPHANE

J'avais douze ans.

JEAN

Vaut mieux tard que jamais.

Odile entre en trombe.

ODILE

Allô tout le monde!

STÉPHANE

T'es pas encore partie?

ODILE

Imaginez-vous donc qu'on n'était pas sortis du tunnel Louis-Hippolyte que Bob me dit qu'il pense que peut-être y aura pas de draps propres au chalet. C'est pas que je suis dédaigneuse, mais comme y a pas de laveuse ni de sécheuse pis que ça me tente pas de courir les landromats, je lui ai dit de revirer de bord. Comme on était plus proche d'ici que de mon appartement... *(Elle sort sortie-chambre.)*

RACHEL

(À Odile:) Prends pas mes draps santé!

ODILE

(Voix hors-champ:) Pourquoi pas? Sont frais lavés. Sont doux...

RACHEL

Je les garde pour mon lit.

JEAN

(Souriant exagérément avec la complicité de Stéphane.) Rachel, souris!

Rachel, fâchée, feint un large sourire.

ODILE

(Revenant avec les draps défendus.) C'est ben trop chaud, l'été! C'est bon pour l'hiver des draps de même. Mais dans un chalet, c'est tellement humide, faut pas prendre de chance. J'ai pas envie de revenir ici avec une grippe.

RACHEL

Ce sont mes draps, Odile.

ODILE

T'en n'as pas juste un kit.

RACHEL

Jean, dis de quoi!

JEAN

(À Odile:) T'as pas un sac de couchage?

ODILE

Je pars en couple.

STÉPHANE

(Souriant.) De toute façon, papa, je l'ai pris pour toi son sac de couchage.

ODILE

(À Jean:) Je vais les laver avant de lui remettre.

JEAN

(À Rachel:) Elle va les laver avant de te les remettre.

RACHEL

J'ai compris.

JEAN

(À Odile:) Où c'est que vous allez?

ODILE

Dans les Cantons de l'Est: Magog!

JEAN

Fais attention à toi.

ODILE

Inquiète-toi pas pour moi, il est quelque chose! *(Elle embrasse Jean.)* Bonne fin de semaine. *(Elle embrasse Rachel.)* Merci quand même.

STÉPHANE

Pis moi?

ODILE

(En sortant:) Toi? Fais surtout pas ton lavage dimanche soir, je vais avoir besoin de la laveuse. Bye!

Odile sort.

STÉPHANE

Je me sens vraiment apprécié à ma juste valeur, ici…

RACHEL

Y en a au moins une qui va passer une belle fin de semaine. Bon! On devrait partir nous autres aussi si vous voulez pas chercher votre canot à la noirceur. *(À*

Jean:) Oublie pas que c'est pas long, deux jours. *(Souriant exagérément:)* De mon côté, la vapeur monte.

JEAN

Larguez les amarres! Embarquez les bagages dans l'auto!

> *Stéphane empoigne les sacs de couchage, son sac à dos et la glacière. Il sort.*

RACHEL

(À Jean:) Comment ça, «embarquez les bagages»?

JEAN

Mon dos...

RACHEL

Qu'est-ce que tu vas faire dans le bois?

JEAN

Rendus là, on aura pas le choix de s'arranger.

RACHEL

Commencez donc tout de suite!

JEAN

S'il te plaît, Rachel, aide-moi un peu! Ça va aller plus vite.

> *En soupirant, Rachel prend la grosse lampe de poche, l'autre sac à dos et la tente roulée. Jean s'empare des cannes à pêche.*

RACHEL

Avez-vous pris mon p'tit guide médical?

JEAN

Nous souhaites-tu du mal?

RACHEL

Vaut mieux prévenir que guérir. Avez-vous du Off, du Raid, au moins?

JEAN

Non.

RACHEL

Dans ce cas-là, lavez-vous pas. *(Se rendant à la bibliothèque:)* Mon p'tit guide vous serait ben utile…

JEAN

Rachel! On n'a pas le temps de chercher ça! Un week-end de guerriers africains, c'est comme un barbecue. Tu fais ça pour renouer avec la simplicité.

Jean sort.

RACHEL

(Avant de sortir, chargée comme un âne:) C'est drôle, à chaque fois qu'il va dans la simplicité, lui, c'est là que moi je travaille le plus!

Rachel sort à son tour.

SCÈNE 3

Jean, Stéphane et Rachel

À l'orée du bois. Jean se pointe, enthousiaste.
Stéphane le suit, moins emballé. Rachel arrive
la dernière, sous son fardeau qu'elle dépose
près de Jean et Stéphane.

JEAN

C'est magnifique!

STÉPHANE

(Peu emballé:) Ouan…

RACHEL

Moi, je fais pas un pas de plus. J'ai pus de talons.

> *En effet, elle tient un des talons de ses souliers*
> *dans une de ses mains.*

JEAN

Regarde-moi ça, Rachel! Les oiseaux volent en chan-
tant.

RACHEL

(Ton indifférent.) C'est ben ben beau.

JEAN

On dirait que la nature a organisé un chœur avec ses cascades pour nous souhaiter la bienvenue!

RACHEL

Si je reste trop longtemps, je vais brailler...

> *Stéphane s'écrase sur son sac à dos. Il en a déjà marre...*

JEAN

Je comprends les guerriers qui partent comme ça, avec leurs fils! Je me sens comme eux autres. Toi, Stef?

RACHEL

Il a l'air de sentir tout ça...

JEAN

Rachel, ouvre grandes tes oreilles avant de repartir. Remplis-toi de silence et de paix!

RACHEL

Pour l'instant, j'ai assez de mes souliers qui se remplissent d'eau!

JEAN

Stéphane, respire à pleins poumons!

STÉPHANE

(Qui vient de s'allumer une cigarette.) Mets-en! Je me suis assez retenu dans l'auto.

RACHEL

(Lui tendant la tente roulée:) Tu prends le relais, Jean?

JEAN

(Cherchant une solution:) À moins que Stéphane prenne les deux sacs à dos...

STÉPHANE

(Ironique:) Ben oui! Je te porte avec ça?

JEAN

T'es jeune, t'es fort!...

STÉPHANE

Essaye pas! Moi qui pensais que c'était une fin de semaine de repos que tu me proposais.

JEAN

(Moqueur:) Ça a vingt ans pis ça parle de se reposer!

STÉPHANE

Rachel, dis de quoi!

RACHEL

Il a vingt-six ans.

STÉPHANE

Ben comique...

RACHEL

Jean, tu peux transporter quelques affaires, quand même. Prends deux bagages du même poids. Fais un équilibre.

JEAN

Bon...

RACHEL

Ça va bien aller... J'y vais, moi. Je me meurs de me retrouver allongée sur mon sofa, un verre de n'importe quoi à la main.

STÉPHANE

(Toujours assis, prenant les jambes de sa mère comme appui.) Moi aussi.

JEAN

(À Rachel:) Tu t'ennuieras pas trop?

RACHEL

(Reculant pour ainsi faire perdre l'équilibre à Stéphane:) Je penserais pas! Un peu de solitude me fera pas de tort. Surtout que je veux être d'attaque pour votre retour... *(En catimini à Jean:)* Au cas où ça serait nécessaire!

STÉPHANE

(Se relevant pour se mettre à marcher en direction du bois:) C'est ça, bye...

RACHEL

(À Stéphane:) T'embrasse pas ta mère? *(Stéphane revient, embrasse Rachel, encombré par ses bagages.)* Dire que tu vas revenir changé en homme!

STÉPHANE

En quoi?

RACHEL

(À Jean:) Hon! J'ai-tu trop parlé?

JEAN

Non, non! *(Il prend Stéphane par les épaules.)* Stef! À partir de tout de suite, on est des guerriers africains.

STÉPHANE

Des quoi?

JEAN

Tu vas te rappeler cette fin de semaine-là toute ta vie.

RACHEL

Surtout si elle finit par une circoncision!

STÉPHANE

Quoi?

RACHEL

C'est ce que j'ai lu, moi! *(Elle embrasse Jean.)* Bonne fin de semaine, Tarzan!

STÉPHANE

(S'éloignant, amer.) Pis moi, je suis qui? Chita?

JEAN

(À Rachel:) Fais-moi confiance! Par la douceur et la compréhension, on obtient tout de nos enfants. Même qu'ils partent.

RACHEL

Je leur souhaite.

JEAN

Regarde, il part le premier. C'est déjà un bon signe, ça. Tu vas voir, il va tout comprendre pis t'auras pas le temps de te retourner de bord qu'il va s'être trouvé un appartement.

RACHEL

Pis qu'il va avoir besoin d'aide pour le peinturer! Va le rejoindre, j'ai peur qu'il se perde!

JEAN

Inquiète-toi pas pour nous autres.

Jean se dirige vers le mauvais côté.

RACHEL

Jean!

Elle lui indique le bon chemin qu'il reprend, enthousiaste.

RACHEL

(Pour elle-même, le talon de son soulier en main:) Dire que j'ai payé ça cent cinquante piastres ces maudits souliers-là. Ah, y a des jours où je sais pas ce que je donnerais pour être restée célibataire! *(Elle aperçoit la lampe de poche que Jean et Stéphane ont oubliée. Pour elle-même:)* Leur lampe de poche! Ah, non! *(Elle crie:)* Jean! Stéphane!

JEAN ET STÉPHANE

(Au loin:) Bye!

RACHEL

Votre lampe de poche!

JEAN ET STÉPHANE

(D'encore plus loin:) Bobye!

RACHEL

(Pour elle-même:) C'est ça, bobye…

> *Rachel s'éloigne à son tour, en boitant, son talon toujours dans une main.*

SCÈNE 4

Jean et Stéphane

Jean, les seules cannes à pêche en main, et Stéphane, qui croule sous les bagages qu'il transporte, arrivent sur le site.

JEAN

On va s'installer ici.

STÉPHANE

(Ironique.) T'es certain que tu veux pas faire une couple de milles de plus?

JEAN

(Ne comprend pas l'allusion.) Non, on va être très bien ici. Avec la mousse des bois comme tapis…

STÉPHANE

(Il cherche un endroit où déposer son fardeau:) C'est tout trempe!

JEAN

T'es ben de mauvaise foi, Stéphane! Je pensais que ça te faisait plaisir qu'on parte ensemble.

STÉPHANE

Ça me fait plaisir, c'est juste que je suis raide mort. Si c'est ça, pour toi, devenir un homme... C'est ben simple: je vais avoir besoin d'un chiro en revenant de ton week-end de repos!

> *Stéphane se laisse tomber de tout son long sur l'amas de bagage.*

JEAN

On va se reposer là... Laisse-nous le temps d'arriver. Prends des grandes respirations... on monte la tente!

STÉPHANE

Monte-la.

JEAN

T'es couché dessus. Envoye, debout!

STÉPHANE

(Il se lève et empoigne le sac qui contient la tente.) Sais-tu comment ça marche?

JEAN

Ça doit pas être ben sorcier...

STÉPHANE

(Il sort, avec l'aide de Jean, la tente du sac.) La dernière fois que j'ai fait du camping, c'est avec Odile. On s'était fait un «campe» avec des serviettes de plage sur le balcon de la maison. J'avais sept ans.

JEAN

Moi, j'en ai fait pendant des années.

STÉPHANE

Ah, oui! Quand?

JEAN

Avant de me marier.

STÉPHANE

C'est pas d'hier, ça non plus.

JEAN

Les tentes, c'est comme les cannes à pêche, c'est pas une affaire qui évolue énormément.

> *En poursuivant leur conversation, ils essayent de monter la tente, sans succès.*

STÉPHANE

Y a pas de papier d'instructions?

JEAN

(Déçu.) Ah, non? *(De nouveau positif.)* C'est pas grave. C'est comme dans la vie, ça. On n'a pas toujours les outils qu'il nous faut pour avancer, mais faut partir pareil! Prends moi, par exemple, quand je suis parti en appartement la première fois, j'avais déjà fait partie des scouts.

STÉPHANE

Ben oui, «Patte de gibier»!

JEAN

C'était pas rien.

STÉPHANE

Pis?

JEAN

Ben!

STÉPHANE

Ben quoi?

JEAN

(Patinant:) Je... j'essayais de faire un parallèle entre la tente, les scouts, pis partir en appartement!

STÉPHANE

Un parallèle?

JEAN

Laisse faire. Ce qu'il faut que tu retiennes de tout ça, c'est que rien n'est jamais perdu pis que qui risque rien n'a rien.

STÉPHANE

(Qui perd espoir de comprendre son père:) On serait pas mieux d'installer la pinne du milieu avant?

JEAN

Bonne idée! Tu vois, ça te revient!

STÉPHANE

(Sous la toile:) Je suis pas tellement patient avec ce genre de gugusse-là, moi. *(Il en ressort.)*

JEAN

(Il entre sous la toile à son tour.) On va l'avoir!

STÉPHANE

(Tenant la toile.) La toile est toute moisie!

JEAN

Ah, c'est ça les p'tites taches noires... Tu l'as pas vérifiée avant de partir?

STÉPHANE

J'ai pas eu le temps. *(Tapotant la toile:)* Elle est percée... *(Ironique.)* On va avoir du fun!

JEAN

(Convaincu.) Oui, on va avoir du fun! De toute façon, il mouillera pas. J'ai appelé la météo avant de partir. Ils annoncent de la pluie pour la fin de semaine prochaine, pas avant.

STÉPHANE

(Déçu.) Pas la semaine prochaine, c'est la Saint-Jean! J'ai plein d'affaires d'organisées.

JEAN

La Saint-Jean... Dire que j'ai rencontré ta mère à un party de la Saint-Jean.

STÉPHANE

(Tentant d'installer la tente de nouveau, désintéressé:) Ah, oui?

JEAN

C'est même là que t'as été conçu!

STÉPHANE

Dans ces affaires-là, moi, je me contente de rencontrer.

JEAN

Ouais! *(Amusé.)* As-tu déjà rencontré une... une femme à un party de Saint-Jean, toi aussi?

STÉPHANE

Si on veut.

JEAN

«Si on veut»! Je te jure que t'es pas exagérément démonstratif.

STÉPHANE

Ça dépend avec qui.

Rire des deux hommes, complices.

JEAN

Parle-moi de ça, mon fils qui me cache des choses!

STÉPHANE

J'ai jamais été le genre à me vanter de mes exploits sexuels, moi.

JEAN

(Moqueur.) Parce qu'y aurait de quoi se vanter?

STÉPHANE

T'interprètes, là!

JEAN

Non, non, un père est fier de savoir ça! Même que je commençais à me demander si...

STÉPHANE

Si quoi?

JEAN

Ben! Si t'avais commencé à... virevolter là... à goûter à ça!

STÉPHANE

Tu m'as pas emmené ici pour me parler des abeilles pis des sauterelles?

JEAN

Ben non, voyons! C'est juste que t'en parlais pas pis j'avais peur que tu sois en train de perdre les meilleures années de ta vie... C'est peut-être vrai que ça s'use pas, ces affaires-là, mais... ça vieillit en tout cas! Tu comprends, un père est en droit de s'inquiéter. Pis je me disais, il va finir par se retrouver avec une fille... ou un gars?

STÉPHANE

Moi, c'est les filles.

JEAN

Tu fais pour te sentir à l'aise, mon gars! Une fille ou un gars, du moment que tu vas rester avec, ça me regarde pas! Mais plus t'attends, plus les filles de ton âge se raréfient. Te vois-tu pris avec une fille qui est dix ans plus jeune que toi? Moi, je me dis: il sera pas capable de la suivre. Elle va encore vivre aux crochets de ses parents, toi, tu vas vouloir t'installer, fonder ta petite famille, te coucher de bonne heure, nous visiter une fois de temps en temps... Pis une fille trop jeune est pas prête à ça.

STÉPHANE

Où c'est que tu veux en venir?

JEAN

Prends moi, j'ai toujours été attiré par les femmes plus âgées que moi. Alors, sexuellement, c'est l'entente parfaite. Qu'est-ce que tu veux? Les femmes sont faites pour être à leur maximum plus tard que nous autres!

STÉPHANE

Es-tu en train de me dire que t'as des aventures?

JEAN

Non! On parle de l'âge entre partenaires.

STÉPHANE

Moi, l'âge, je n'en fais pas un critère. Ça clique où ça clique pas.

JEAN

Ça jamais eu l'air de cliquer fort fort jusqu'à date!

STÉPHANE

J'ai jamais été «fort fort» là-dessus, les présentations à papa pis maman... *(Lui tendant une des cordes de la tente pour l'étirer:)* Tire!

Jean s'exécute. Stéphane tire aussi de son côté. En moins de deux, la tente se déchire.

JEAN

(Positif.) Pourquoi on coucherait pas à la belle étoile?

STÉPHANE

Parce qu'y va mouiller!

JEAN

(Emballé.) Ça va faire encore plus guerrier!

STÉPHANE

«Scaphandrier», tu veux dire. Est où la lampe de poche?

JEAN

(Étendant la toile de la tente:) Dans nos bagages. Elle est assez grosse, t'as manqueras pas. *(Ayant étendu la toile:)* Regarde, je nous fais un genre de «sous-sleeping»!

STÉPHANE

(Fouillant dans les bagages:) Je la trouve pas. *(Inquiet.)* Il commence à faire noir!

JEAN

Elle doit être là... C'est toi qui l'avais.

STÉPHANE

Non, c'est pas moi, c'est toi.

JEAN

Ben non!

STÉPHANE

Ben oui!

JEAN

Ben non! C'est…

JEAN et STÉPHANE

Rachel!

JEAN

Ben oui, c'est Rachel qui l'avait.

STÉPHANE

Dis-moi pas qu'elle est partie avec! On a-tu des allumettes au moins?

JEAN

(Y pensant bien.) Non.

Stéphane s'effondre…

JEAN

Mon fils, même si on a pas de feu ni de lampe de poche, y a rien là! On part pas en forêt pour retrouver le confort de la maison. On vient à la rencontre de la simplicité! *(Déroulant les sacs de couchage:)* Tu vas voir, on va en rire quand on va raconter ça en revenant!

STÉPHANE

Je sais pas si on va en rire, mais j'en connais deux qui vont rire de nous autres, par exemple.

JEAN

«L'être humain n'a pas les moyens de s'offrir le luxe d'une pensée négative!» Retiens ça, mon Stef! Regarde-nous là, on est un bel exemple: on n'est pas si mal pris que ça. On a nos sacs de couchage, nos cannes à pêche, la lune…

> *On entend des bruits de tonnerre et on voit des éclairs.*

STÉPHANE

(Ironique.) Pis l'eau courante!

JEAN

(S'installant dans son sac de couchage:) Faut visualiser que l'orage nous passe par-dessus!

STÉPHANE

Je nous visualise ben plus «trempes comme des canards»!

JEAN

Tes ondes négatives vont brouiller les miennes.

> *Éclairs et tonnerre.*

STÉPHANE

Y manquait pus rien que ça!

JEAN

Quelques petits éclairs. Ça veut pas nécessairement dire qu'il va pleuvoir! *(Ne sortant que sa tête de son sac de couchage:)* Regarde, y a des étoiles. *(Un temps, admiratif:)* C'est-tu pas assez beau?

STÉPHANE

(Regardant le ciel:) Ouais… Ça me rappelle les céréales du capitaine Crounch…

JEAN

(Amusé.) Ah oui?

STÉPHANE

Quand j'avais dix, onze ans, y a eu un concours sur la boîte. On pouvait gagner une étoile pis y donner notre nom. La compagnie nous envoyait une carte du ciel pour nous montrer notre étoile.

JEAN

En as-tu une?

STÉPHANE

Oui. C'est grand-papa qui m'a aidé à remplir le formulaire. Pis pour ça, il a gardé la carte du ciel! *(Scrutant le ciel:)* Ouais… Y a une étoile, quelque part, qui s'appelle Stéphane Arsenault.

JEAN

Tu m'avais jamais dit ça.

STÉPHANE

C'était pas important. *(Il entre dans son sac de couchage.)*

JEAN

Demain, on va pêcher. On a bien fait de pas apporter trop de nourriture. On va avoir du poisson en masse.

STÉPHANE

Tu penses?

JEAN

Je nous vois avec des chaudières pleines.

STÉPHANE

C'est quoi qu'on va pêcher au juste?

JEAN

Je le sais pas! Je fais confiance à Mère Nature.

STÉPHANE

En espérant qu'elle soit de notre bord. Je passerai pas des heures à taquiner des ménés, moi!

JEAN

C'est ça le fun de la pêche, Stef! On va s'asseoir ben tranquilles dans notre canot, pis on va relaxer… tant qu'une grosse truite ou qu'un gros brochet nous dérangera pas.

> *Dans le noir, on entend le tonnerre, puis la pluie qui tombe.*

STÉPHANE

Je le savais! Je le savais! Que je le savais donc!

JEAN

Faut voir ça positif: les vers vont être plus faciles à trouver demain matin!

SCÈNE 5

Odile et Rachel

Rachel revient à la maison. Elle entre, un journal en guise de parapluie.

RACHEL

(Elle enlève ses chaussures.) Cent cinquante piastres à l'eau, c'est le cas de le dire! *(Elle soupire, regarde autour d'elle.)* Le silence! Ça doit ben faire dix ans que j'ai pas entendu ça... *(Elle écoute.)* Ça, j'aime ça. *(Elle soupire.)* Rachel, qu'est-ce que tu fais? Je peux lire, je peux abattre mon mur, je peux décaper un meuble antique, je peux m'épiler les jambes, je peux... je peux... *(Mettant en marche le lecteur laser:)* J'écoute John Lennon.

Rachel fredonne Imagine *et va chercher une boîte d'algues qui traîne parmi les décombres. Elle prend aussi avec elle, un support à encens et un bâton d'encens rangés sur une étagère de la bibliothèque. Elle revient vers le récamier et s'y assoit.*

RACHEL

Diminuer les tensions, retrouver un rythme cardiaque normal... *(Sortant un amas d'algues de la boîte:)* ... et, le summum de la détente avec un grand *D*. mes algues. *(Elle se flanque la gerbe d'algues sur la tête.)* Quand je suis toute seule, comme ça, John, j'aime faire des p'tites folies! *(Elle allume son briquet et de sa flamme suit la musique.)* John Lennon! Mon homme. Mon préféré. Voix douce, cheveux en bataille, look décontracté, friand de *bed in* et d'amour passionné, pas collant... Mon genre. *(Elle embrase le bâton d'encens, l'installe sur sa base et s'étend sur le récamier.)* Pour une femme qui est à la fois épouse, mère et femme de carrière, la vraie vie, c'est ça!

>   *Odile sort de la chambre. Elle a enfilé le peignoir de Rachel. Elle ferme le lecteur laser, Rachel sursaute.*

ODILE

(Ferme.) Où étais-tu?

RACHEL

Qu'est-ce que tu fais là, toi? *(Constatant qu'Odile porte son peignoir:)* Dans mon peignoir?

ODILE

Je me suis mise à mon aise!

RACHEL

T'es revenue?

ODILE

(Ravalant ses larmes:) Parle-moi-z-en pas!

RACHEL

Qu'est-ce qu'y a encore?

ODILE

Comment «encore»? Tu parles d'un réconfort! J'aurais donc dû me rendre à mon appartement au lieu de venir ici, aussi. Mais non! Je me suis dit, ma mère va me comprendre, elle va me consoler, m'aider à passer au travers!

RACHEL

(Toujours calme.) Passer au travers de quoi?

ODILE

De ma rupture avec Bob! Ça commencé sur le Métropolitain.

RACHEL

Le pont Champlain se prend pas par là.

ODILE

Je le sais! C'est Bob qui voulait rien entendre. Je voulais au moins qu'on roule sur la voie d'accès pour pas rester pris dans un bouchon — tu sais comme moi que le Métropolitain est toujours «jamé» —, mais lui, bête comme ses pieds pis tête de cochon comme…

RACHEL

Comme un cochon?

ODILE

Pire que ça!

RACHEL

Ton père?

ODILE

Pire que ça!

RACHEL

Comme moi?

ODILE

C'est ça. Il voulait pas m'écouter! Pis ça fait pas deux ans qu'il vit à Montréal. Quand, moi, je suis née ici! J'ai passé mon enfance ici, mon adolescence ici!

RACHEL

(Pour elle-même:) Pis elle est encore ici!

ODILE

Je connais Montréal, comme si je l'avais tricoté! Je connais les lignes du métro par cœur, l'horaire d'autobus y m'en manquerait pas gros si ça changeait pas aussi souvent, pis il vient m'écœurer! Ça m'enrage quand on me dit que je sais pas où je m'en vais, à Montréal! Ça me choque, comprends-tu? *(Rachel lui tend les algues.)* Que c'est ça?

RACHEL

Des algues. Ça détend.

ODILE

Passe-moi-z-en. *(Ce que Rachel fait.)* C'est Bob qui conduisait parce que c'est «son» char. Il veut pas me le passer parce qu'on se connaît pas depuis assez longtemps. Deux semaines, c'est pas assez long pour lui! Pour ma part, c'est ben assez. C'est plus qu'un *one night stand* mon Bob que je lui ai dit: compte-toi chanceux! Pis je lui ai dit, je sais pas combien de fois, que ça faisait huit ans que j'avais mon permis de conduire pis que j'avais jamais eu un seul accident, jamais perdu un seul point. Non mais, c'est bon! *(Tapotant les algues sur sa tête:)* C'est vrai que ça détend.

RACHEL

(Ironique.) Une chance.

ODILE

Pour faire une histoire courte...

RACHEL

Oui...

ODILE

Il se met à me dire, chaque fois que je lui dis quoi faire: «Je sais où je m'en vas!» Du tunnel au pont Champlain à me faire répéter la même chanson. Comme si, sérieusement, il croyait connaître ma ville plus que moi! Je rongeais mon frein. C'est sur l'auto-route Ville-Marie que j'ai pogné les nerfs. Juste comme y fallait surveiller les indications pour pas se retrouver en plein centre-ville, il me lance: «Coudon, as-tu une mappe d'étampée dans le front?» Je le fais répéter. Lentement pour pas perdre une seule de ses paroles. Il se tourne la tête pour me regarder dans les yeux... C'est le genre à toujours vouloir qu'on se regarde dans les yeux quand on porte un toast, tu vois le genre?

RACHEL

Un peu...

ODILE

Ben, t'en verras pas plus! Parce que c'est fini! F-i-fi, n-i-ni! Il m'a débarquée sur le pont Champlain, comme un chien, en me disant: «Débarque maudite fatigante!» Maudite fatigante, moi? J'en suis pas revenue pis j'en reviens pas encore! Qu'est-ce que t'aurais fait à ma place?

RACHEL

Du pouce.

ODILE

Du pouce! Maman! Je te demande pas conseil souvent me semble!

RACHEL

Parce que c'est un conseil que t'attends de ma part?

ODILE

Quoi d'autre? T'es ma mère.

RACHEL

Tu me prends par surprise.

ODILE

Avais-tu de quoi de prévu ce soir?

RACHEL

Rester seule.

ODILE

Je te dérange-tu?

RACHEL

Oui.

ODILE

Comme papa est parti avec Stéphane, je peux rester avec toi si t'as peur.

RACHEL

J'ai pas peur.

ODILE

Mais t'as peur des orages pis y en a.

RACHEL

Odile, je vais dire comme Bob...

ODILE

Tu prends pour lui?

RACHEL

Je prends pas pour lui, je le connais même pas!

ODILE

Comme ça, tu le rappellerais? C'est ce que je me disais. *(Un temps.)* J'aurais pas dû le frapper.

RACHEL

(Horrifiée.) Tu l'as frappé?

ODILE

Pas si fort que ça! Il est le genre de gars à avoir la peau sensible... Ça paraît pire que c'est!

RACHEL

Odile!

ODILE

C'est pas de ma faute s'il marque à rien!

RACHEL

On frappe pas un homme si on veut se faire aimer de lui.

ODILE

J'ai jamais rampé aux pieds d'un homme, aussi fragile fût-il, pour me faire aimer!

RACHEL

Je te dis pas de ramper.

ODILE

Que je te voye! Moi, je suis comme je suis. J'ai mauvais caractère, mais je le montre en partant. Le gars a pas de surprise après les fiançailles. *(Se jetant dans les bras de Rachel:)* Maman…

RACHEL

Il s'est pas vengé, toujours?

ODILE

Naon!… Je l'aime!

RACHEL

(Lui caressant les cheveux, compréhensive:) Pauvre p'tite fille…

ODILE

(Se relevant brusquement:) C'est à ce mur-là que j'avais peur de me cogner!

RACHEL

Quel mur?

ODILE

Celui de ton ton condescendant de «mère-je-le-savais-donc-que-t'allais-venir-me-brailler-dans-les-bras»! Je suis pas une p'tite fille! J'ai vingt-cinq ans! Je suis une femme! *(Un temps.)* Pis je pogne pas!

RACHEL

Tu pognes... sur le coup!

ODILE

Pourtant, je suis patiente! Donne-moi n'importe quel programme d'informatique, je peux passer des heures à essayer de le comprendre. J'ai travaillé quatre-vingt-six heures cette semaine! C'est pas moi le problème! C'est les hommes!

RACHEL

Il doit ben en exister un de parfait quelque part.

ODILE

Bob était le seul candidat potable et libre de l'étage.

RACHEL

Ç'a combien d'étages la place Ville-Marie?

ODILE

Quarante-sept avec le restaurant.

RACHEL

Décourage-toi pas!

Le téléphone sonne.

ODILE

Grand-papa!

Odile se dirige vers la bibliothèque d'où elle sort une bouteille d'alcool.

RACHEL

Je commençais à me demander s'il était malade, lui. *(Elle répond.)* Oui?... Non, Jean est pas encore rentré... Une fin de semaine de camping? Je suis pas au courant... Il doit être allé voir sa maîtresse. Elle est jeune, belle pis très cochonne... Ça me dérange pas... Ça me dérange pas... Ça me dérange pas. *(À Odile qui boit l'alcool à même le goulot de la bouteille:)* Odile, lâche ça! *(Au grand-père:)* C'est ça, c'est ça! *(Elle raccroche, fière.)* J'ai raccroché avant lui! *(À Odile, courant lui enlever la bouteille:)* Es-tu malade?

ODILE

Je noye ma peine!

RACHEL

À ce train-là, tu noyeras pas juste ta peine, tu vas te noyer avec.

ODILE

(Se laissant tomber sur le récamier:) Depuis que je suis revenue de la baie James, je suis toute seule comme un croton. La seule amie qui me restait vit, depuis cinq semaines, avec son chum. On viendra me dire que les couples durent pus astheure!

RACHEL

Cinq semaines, c'est pas un record.

ODILE

Tout le monde est en couple! À commencer par toi pis papa. Pas de danger que vous divorciez!

RACHEL

Pour que tu te sentes moins seule? Non.

ODILE

Tu vois?

RACHEL

Non, je vois pas. Tu t'en fais trop, Odile. Tu cherches trop.

ODILE

Si je cherche pas, y en a pas un qui va venir me chercher dans mon salon! Je le sais, j'ai essayé.

RACHEL

Ce sont les hommes qui attirent les hommes, Odile.

ODILE

Je le sais! Pis les plus beaux s'arrangent entre eux autres!

RACHEL

Ce que je veux dire c'est que si tu te montres au bras d'un homme, tu vas en avoir une demi-douzaine à ta porte.

ODILE

Je sortirai pas avec n'importe qui!

RACHEL

Je te parle pas de sortir, je te parle de coucher!

ODILE

Quoi?

RACHEL

Me semble qu'une p'tite aventure te ferait pas de tort.

ODILE

Une p'tite aventure! Mais c'est pas moi, ça! J'ai besoin d'aimer, d'être aimée pour faire... «ça». T'es tellement pas romantique!

RACHEL

À l'âge que t'as, le romantisme, oublie-moi ça!

ODILE

Pourquoi?

RACHEL

Parce que c'est la justification de ceux qui sont pus capable! Quand un homme te dit qu'il est romantique, méfie-toi! Il va t'apporter des fleurs, pis il va s'endormir devant la télévision!

Le téléphone sonne.

ODILE

Grand-papa…

RACHEL

(Elle répond sèchement.) Oui? Oui, c'est moi qui ai raccroché, tantôt. *(Elle raccroche.)* Qu'est-ce que tu disais?

ODILE

(Se laissant tomber à plat ventre sur le récamier, désespérée:) Je veux mourir!

RACHEL

T'as toute la vie pour ça. Ton frère s'en fait pas, lui.

ODILE

C'est pas pareil. Lui, il veut pas trouver! Il cherche même pas.

RACHEL

(Pour elle-même:) Je sais pas ce que j'ai fait au bon Dieu pour avoir des enfants aussi pognés!

ODILE

(Relevant la tête.) On n'est pas pognés, on est sélectifs.

RACHEL

(Se dirigeant vers la porte afin de la lui indiquer:) Bon là, Odile, tu vas devoir m'excuser…

Rachel, Odile et Carole-Anne

En entrant, sans frapper, Carole-Anne interrompt Rachel sur sa dernière réplique. Elle porte un sac à dos sur son épaule.

CAROLE-ANNE

Rachel Arsenault?

RACHEL

Ça dépend des jours.

CAROLE-ANNE

La mère de Stéphane Arsenault?

RACHEL

Là, j'ai pus le choix.

CAROLE-ANNE

(Lui tendant la main.) Enchantée! Je suis ta bru.

RACHEL

(Retirant sa main avant même d'avoir serré celle de Carole-Anne.) Ma quoi?

CAROLE-ANNE

Ta bru. L'amante, la maîtresse, la blonde de Stéphane.

ODILE

(À plat ventre sur le récamier.) Ah, non! Pas lui aussi! Le traître! *(Elle pleure.)*

CAROLE-ANNE

(Faisant un tour d'horizon.) Eille, c'est vrai que c'est vide ici!

RACHEL

Je rénove.

CAROLE-ANNE

Je sais. *(Elle tend la main à Rachel.)* Carole-Anne.

Les deux femmes se serrent la main.

CAROLE-ANNE

J'ai pris votre adresse dans l'annuaire au terminus.

RACHEL

Stéphane te l'a pas donnée?

CAROLE-ANNE

Oui, mais j'ai oublié mon carnet d'adresses chez l'ancien chum de ma mère. Pis là, comme il est en prison, parce qu'il a tenté de l'étrangler...

RACHEL

(L'interrompant.) C'est le fun... *(Lui indiquant la porte.)*

Malheureusement, Stéphane est pas ici présentement, alors…

CAROLE-ANNE

Je sais. Il est parti à la pêche avec son père qui, je présume, est ton mari.

RACHEL

C'est ça.

CAROLE-ANNE

Je suis bonne, han! Comme Stef est pas là, je peux prendre sa chambre?

RACHEL

Pardon?

CAROLE-ANNE

Il m'a dit que t'étais ben recevante. Je viens me chercher un appartement à Montréal.

RACHEL

T'arrives d'où?

CAROLE-ANNE

Magog.

RACHEL

Magog?

ODILE

(Elle gémit.) Bob!

CAROLE-ANNE

Le lac, là? Le serpent à trois têtes? La traversée?

RACHEL

Oui, oui, je connais…

ODILE

(Toujours écrasée sur le récamier.) Ben pas moi!

CAROLE-ANNE

(Tapant amicalement la fesse d'Odile en guise de présentation:) Carole-Anne. En forme?

ODILE

(Dans un râlement.) Bof…

CAROLE-ANNE

Odile! Stéphane m'a beaucoup parlé de toi.

ODILE

(Se relevant, contente.) Ah, oui?

CAROLE-ANNE

C'est toi qui pognes pas!

> *Odile encaisse le coup…*

CAROLE-ANNE

Ben t'es pas si pire!

ODILE

(Refroidie.) Merci…

RACHEL

(S'approchant de Carole-Anne.) Je voudrais pas avoir l'air d'une mère qui communique pas avec ses enfants, Caroline, mais…

CAROLE-ANNE

Carole-Anne.

RACHEL

Excuse-moi. Carole-Anne. Mais Stéphane m'a jamais parlé de toi.

CAROLE-ANNE

C'est ben lui, ça! Pourtant, ça va faire un an samedi prochain qu'on est ensemble.

RACHEL

Ah, oui?

CAROLE-ANNE

On se voit pas tous les jours mais on est fidèles. Je lui ai dit en partant: j'exige l'exclusivité. Une chlamydia, ça se soigne, mais avec le sida, on rit pus.

ODILE

(Le regard fixe, désespérée.) Une chlamydia? J'aurai sûrement jamais la chance d'avoir ça, moi!

CAROLE-ANNE

Compte-toi ben chanceuse! C'est assez traître. Ça amène l'infertilité chez la femme si c'est pas dépisté assez tôt. Ça pique! Ça donne des pertes vaginales, la défécation est pénible, le passage de l'urine aussi, pis si t'as des relations anales, tu développes des ulcères!

RACHEL

(Dégoûtée.) Pour en revenir à mon fils...

CAROLE-ANNE

Ben oui, dans le fond, c'est pour lui que je suis ici! Ça m'intriguait de savoir qui avait fait mon beau Stéphane. Parce que... faut pas se le cacher, il est pas laid!

RACHEL

Je le prends comme un compliment! *(Prenant Carole-Anne par le bras afin de la conduire à la porte:)* Ça m'a fait plaisir de te rencontrer...

CAROLE-ANNE

(Devant la porte à la texture originale.) C'est ça vos portes «chamouèrées». Je trouve pas ça si quétaine que ça!

RACHEL

T'en connais qui trouvent ça quétaine?

CAROLE-ANNE

Stéphane. Avec lui, tout ce que vous avez est quétaine. Mais fais-toi-z-en pas, y a pas une famille qui échappe au conflit des générations.

RACHEL

Stéphane sait pas que tu es ici?

CAROLE-ANNE

Non. J'ai pris une chance. Je me suis dit, tant qu'à venir me chercher un appartement à Montréal, pourquoi pas en profiter pour rencontrer ma belle-famille?

RACHEL

Pis tu veux rester à coucher?

CAROLE-ANNE

(Elle embrasse Rachel.) Oh oui, merci! *(S'assoyant près d'Odile sur le récamier:)* Tu le connais autant que moi, la famille, c'est pas son fort. Avec lui, faut toujours provoquer les affaires! Je le trouve un peu... mou. *(Elle a un fou rire.)* Hon! Pas mou dans le sens de... C'est pas ça que je voulais dire. Pensez pas mal, là! *(Ayant du mal à stopper son fou rire:)* Voyons, qu'est-ce que j'ai?

ODILE

(Froide.) Ben oui...

CAROLE-ANNE

(Retrouvant son sérieux.) Il nous aurait présentées un jour ou l'autre. Je l'ai juste un peu devancé. *(Se relevant.)* Le p'tit coin c'est... par là?

RACHEL

Oui.

CAROLE-ANNE

Stéphane m'a dessiné votre maison sur une fesse! Y fallait que je regarde dans le miroir pis je voyais tout à l'envers... Il est fou!

Carole-Anne sort sortie-chambre en riant de plus belle.

RACHEL

(À l'intention de Carole-Anne:) Touche pas au bidet, j'ai pas fini de l'installer.

ODILE

Franchement, maman! Voir si elle va se rincer les fesses! Elle nous connaît même pas.

RACHEL

Si tu veux mon avis, elle a pas l'air «barrée à quarante»! *(Pour elle-même, amusée:)* Maudit Stéphane!

ODILE

(Froide.) C'est peut-être pas vrai son histoire. Ça s'est déjà vu des filles qui arrivent quelque part pis qui s'installent.

RACHEL

Elle s'installera pas.

ODILE

C'est peut-être une fugueuse, elle a pas l'air ben vieille.

RACHEL

Elle a au moins dix-huit ans.

ODILE

Elle doit être enceinte.

RACHEL

Penses-tu?

ODILE

Voir si une fille sans problème courrait après mon frère? Il a rien devant lui, encore moins derrière.

RACHEL

Il est comique, le dessin sur la fesse, je trouve ça drôle, moi.

ODILE

Si tu veux mon avis, c'est pas très hygiénique.

RACHEL

Je peux pas croire qu'il m'en ait jamais parlé…

ODILE

Pis il est mieux de pas venir m'en parler non plus! *(À nouveau désespérée.)* J'avais raison: tout le monde est matché! Même mon frère!

> *On entend le bruit d'un jet d'eau puissant et Carole-Anne qui crie.*

CAROLE-ANNE

(En riant.) Ah! Ça revole partout!

ODILE

Ton bidet!

> *Odile sort en courant sortie-chambre.*

RACHEL

Wo! *(Au lecteur laser:)* Je m'excuse, John, mais ma patience a des limites. Je passerai pas ma fin de semaine à jouer à la mère, certain!

Sur ce, Rachel, exaspérée, sort de la maison.

SCÈNE 7

Carole-Anne, Odile et Rachel

Le lendemain. Carole-Anne grimpe dans l'escabeau.

CAROLE-ANNE

(Elle sort un cahier de son chandail.) C'est le cahier de poésie de mon beau Stef! Je l'ai trouvé dans sa chambre. Ça prend un drôle de gars pour barrer ses tiroirs! Qu'est-ce que ça donne, une p'tite serrure de rien? Ça pète tout seul! *(Elle rit et ouvre le cahier.)* Il m'a jamais interdit de lire ses écrits. Il m'a juste jamais dit qu'il en avait. C'est pas pareil! *(Elle hésite à lire.)* Je sais, à première vue, j'ai l'air de pas me mêler de mes affaires. Mais je suis sa blonde, j'ai le droit de savoir ce qu'il pense de moi. *(Elle lit:)* «L'amour est un cul-de-sac.» Il parle de moi! «L'amour est un abîme dans lequel je voudrais sombrer, l'odeur de la mort embaume mon cerveau comme un nuage de pus sur une plaie nauséabonde.» Un vrai Nelligan! «Je cauchemardesque d'une passion écorchée à vif et mon sang purulent se mêle au venin de sa bouche.» «Au venin de sa bouche...» Wow!

Odile sort de la chambre en robe de chambre, un café dans une main, une cigarette dans l'autre. La nuit a été pénible!

CAROLE-ANNE

Si ça continue, c'est pas la grasse matinée que tu vas faire, c'est la grasse journée! *(Un temps.)* C'est une blague.

ODILE

J'ai pas dormi de la maudite nuit! Je me suis rongé les sangs! C'est ça que j'ai fait.

CAROLE-ANNE

T'as pas eu de nouvelles?

ODILE

J'ai-tu l'air de quelqu'un qui a eu des nouvelles?

CAROLE-ANNE

Pas de nouvelle, bonne nouvelle.

ODILE

Même pas un p'tit téléphone! Madame sacre son camp, pis elle me laisse là avec ma peine d'amour pis mes inquiétudes!

CAROLE-ANNE

Pis ta belle-sœur!

ODILE

En prime!

CAROLE-ANNE

Moi, je la comprends, Rachel. C'est pas évident de toujours avoir ses enfants sur les bras.

ODILE

Ça te donne rien d'essayer d'être fine, elle est pas là pour t'entendre. Dire que j'ai laissé le répondeur débranché toute la nuit! Que je suis restée assise à côté du téléphone tout l'avant-midi! J'ai autre chose à faire que de m'occuper de sa visite.

CAROLE-ANNE

Elle avait pas le goût de discuter.

ODILE

Pas le goût de discuter? Quand tu veux pas d'enfants, t'en fais pas! Les nuits blanches qu'elle m'aura fait passer, elle!

CAROLE-ANNE

On devrait partir à sa recherche.

ODILE

La police est déjà là-dessus.

CAROLE-ANNE

T'as appelé la police?

ODILE

Qu'est-ce que tu voulais que je fasse? Quand une femme dépressive part sur une balloune en pleine crise, pis tu sais que l'Alzheimer la guette, tu niaises pas avec ça. Ma mère peut faire n'importe quelle folie sous le coup de l'émotion! J'étais toujours ben pas pour courir après en autobus! Je connais le numéro de plaque de son auto par cœur: j'ai appelé la police.

CAROLE-ANNE

T'as aucune idée où elle pourrait être?

ODILE

Je suis pas sa mère pis encore moins médium!

CAROLE-ANNE

C'est vrai que t'as plutôt l'air saignante. *(Un temps, ferme.)* C'est une blague.

ODILE

Tu lis le cahier de Stéphane? Où tu l'as pris? Mon frère a pas l'habitude de le laisser traîner.

CAROLE-ANNE

Stéphane, c'est mon chum. Je suis en droit de tout partager avec lui. Dans un couple, on se dit tout, on se montre tout. Sauf que toi, tu peux pas comprendre, tu l'as jamais vécu.

ODILE

(Insultée.) Quoi? J'aurai tout entendu! Moi: jamais avoir vécu la communication dans le couple! *(Elle rit, jaune.)*

CAROLE-ANNE

Le couple, tout court.

ODILE

Ah! J'en ai eu des relations stables! Mais moi, j'ai besoin d'avoir mon petit territoire privé, aussi.

> *Sur ce Rachel entre, une peau de chèvre sur les épaules, visiblement défaite.*

ODILE

(Qui ne s'est pas aperçue de l'entrée de sa mère, toujours à Carole-Anne.) Je préfère être toute seule plutôt que d'être prise avec quelqu'un qui a aucune notion du respect de l'intimité.

RACHEL

(D'une voix blanche.) Pardon?

ODILE

(Poursuivant son envolée.) L'intimité dans un couple, c'est vital! Sans ça, on étouffe!

CAROLE-ANNE

(Apercevant Rachel.) Rachel!

ODILE

(Elle se retourne, surprise.) Où étais-tu?

CAROLE-ANNE

Ouan?

RACHEL

Vous le demanderez au beau policier qui m'a réveillée à la pointe de son fusil en me disant que j'étais recherchée, considérée comme «dangereuse»...

ODILE

«Aux grand maux, les grands remèdes»...

RACHEL

... pendant que je dormais dans ma voiture sur le bord de la 20!

ODILE

T'es ben chanceuse d'avoir dormi! Moi, j'ai même pas été capable.

CAROLE-ANNE

Moi, j'ai dormi un peu, mais mal.

ODILE

Tu parles d'une mère dénaturée: partir en pleine tentative de rapprochement!

RACHEL

(Se laissant tomber sur le récamier.) Je suis vidée.

ODILE

Dormir dans ton auto! T'aurais pu t'asphyxier! Je me suis fait du sang de cochon!

RACHEL

Je m'en fous.

ODILE

Pardon?

RACHEL

Je me fous de tout.

ODILE

Même de moi? *(Un temps, malheureuse.)* J'ai compris. Tu veux que je parte.

RACHEL

C'est une menace ou une promesse? *(Odile veut riposter.)* C'est trop en demander que de vouloir me reposer avec mon mari, la fin de semaine?

ODILE

Il est même pas là.

RACHEL

Je voulais rester seule.

CAROLE-ANNE

Je te comprends, Rachel. Ça doit être fatigant de toujours avoir ses enfants sur les bras.

RACHEL

(À Carole-Anne:) T'as pas d'amis, toi, à Montréal?

CAROLE-ANNE

À part Odile, non.

ODILE

(Elle lance un regard incrédule à Carole-Anne, puis à Rachel.) Maman, réponds-moi franchement: regrettes-tu de nous avoir faits?

RACHEL

Je peux pas me prononcer là-dessus dans mon état.

ODILE

T'es tellement pas maternelle!

RACHEL

Je l'ai trop été! Je sais pus c'est quoi passer une fin de semaine tranquille, dans mes p'tites affaires, toute seule...

ODILE

Avec le temps, tu trouverais ça plate.

RACHEL

(Découragée.) Je me rends... Qu'est-ce que vous voulez que je fasse de plus? Même la police me talonne!

CAROLE-ANNE

Pousse-toi à New York!

RACHEL

(Rêveuse.) New York... New York...

CAROLE-ANNE

La statue de la Liberté? Les taxis jaunes?

ODILE

Les meurtres, les suicides, les vols, les viols...

CAROLE-ANNE

L'assassinat de John Lennon? *(À ces mots, Rachel souffre.)*

ODILE

(À Carole-Anne:) C'est son idole.

CAROLE-ANNE

J'ai été porter des fleurs sur sa tombe!

RACHEL

John...

CAROLE-ANNE

Il vient me chercher.

RACHEL

S'il pouvait donc me trouver!

CAROLE-ANNE

(À Rachel.) Je voulais justement m'acheter son coffret en fin de semaine. Mais je suis cassée! Pourrais-tu me passer cinquante piastres? On l'écouterait ensemble! Penses-y: quatre disques de John Lennon! Tu serais fine.

RACHEL

Mon fils t'a vanté mes qualités?

CAROLE-ANNE

(De bonne foi.) Oui. Même s'il le laisse pas paraître, Stéphane apprécie beaucoup que tu fasses des bons salaires.

RACHEL

Si c'est fin...

ODILE

(À Rachel:) T'as acheté une peau d'ours?

RACHEL

Pas une peau d'ours, une peau de chèvre des Alpes.

ODILE

Pourquoi?

RACHEL

Pour Rachel et Jean. Unis, envers et contre tous!

ODILE ET CAROLE-ANNE

C'est ben quétaine!

> *Rachel, exaspérée, quitte les lieux sortie-chambre.*

ODILE

Ben voyons! Qu'est-ce qu'elle a encore? *(Elle part la rejoindre.)* Maman! Maman!

CAROLE-ANNE

(Restée seule.) Être mère, c'est une job à temps plein. Elle a du caractère, Rachel. Elle va faire une bonne grand-mère!

SCÈNE 8

Jean et Stéphane

Jean et Stéphane sont assis, en boxers, une serviette de plage sur les épaules et une boîte de pois à la main. Derrière eux, ils ont installé une corde à linge sur laquelle sèchent leurs vêtements.

STÉPHANE

C'est mangeable.

JEAN

Tu trouves?

STÉPHANE

C'est pas le temps d'être difficile.

JEAN

Des p'tits pois froids, moi, ça me tombe sur le cœur! Quand je pense à notre poisson...

STÉPHANE

Notre barbote, tu veux dire.

JEAN

Barbote peut-être, mais grosse de même, j'ai jamais vu ça. *(Il montre la longueur avec ses mains.)*

STÉPHANE

(Sceptique.) Grosse comment?

JEAN

Comme ça… au moins.

STÉPHANE

(Moqueur.) Comment?

JEAN

(Écartant encore plus ses mains:) Comme ça.

STÉPHANE

Mets-en! Elle devait être au moins le double! *(Il montre avec ses mains.)* Pis les couleurs de cette bébitte-là! Je pensais jamais que l'environnement était rendu aussi bas!

JEAN

Personne va nous croire. On aurait dû prendre une photo.

STÉPHANE

On est au moins deux à l'avoir vue. Eille, elle est partie avec une de nos cannes! Pis c'est pas un méné qui nous aurait fait chavirer.

JEAN

T'as raison. On l'a notre preuve. Notre équipement est assez trempe que même nos boîtes de conserve ont pus d'étiquette. *(Un temps, positif.)* Mais on a du fun...

JEAN ET STÉPHANE

(Complices.) ... pareil!

STÉPHANE

Ouan...

> *On entend des grognements. Stéphane et Jean sursautent.*

STÉPHANE

Que c'est ça? Un ours?

JEAN

Je sais pas. *(Il fige.)* Écoute...

> *On entend d'autres grognements.*

STÉPHANE

On a-tu apporté un fusil?

JEAN

Es-tu fou?

STÉPHANE

Non, mais l'air de rien, j'aime la vie!

JEAN

C'est pas une raison pour vouloir se servir d'une arme à feu.

STÉPHANE

Va voir ce qui se passe, d'abord!

JEAN

Non, non, on bouge pas d'ici! C'est peut-être juste un gros... raton laveur.

Grognements...

STÉPHANE

Un gros raton laveur affamé, oui! *(Il prend le poteau de la tente pour se défendre.)*

JEAN

Laisse ça. Le secret, c'est de garder notre sang-froid. Un animal, s'il se sent pas menacé, il attaque pas.

STÉPHANE

(Il prend les piquets de la tente.) Prends quelque chose pour nous défendre!

JEAN

(Empoignant le filet à poisson:) O.K.!

>*Ils s'avancent vers un gros arbuste derrière lequel semblent provenir les grognements.*

STÉPHANE

Quand un ours a faim, toi, même si tu bouges pas, t'as pas l'air d'une statue de sel. La viande, en mouvement ou immobile, ça se sent, un point c'est tout! *(À l'ours:)* Envoye, viens-t'en!

JEAN

(À l'ours:) Envoye, va-t'en! *(À Stéphane:)* Ça me fait penser au film sur la vie des ours bruns. Tu sais, celui de la maman ours qui veut que son bébé ours parte de la tanière?

STÉPHANE

(Concentré, les piquets à bout de bras.) Je sais pas…

    L'ours grogne encore.

STÉPHANE

(En direction de l'ours:) Envoye! Montre-toi la face si t'es un homme!

JEAN

Si t'es un ours, montre-toi-la pas! Le meilleur du film, c'est quand le p'tit ours qui, en fait, est pas si p'tit que ça…

STÉPHANE

(À l'ours:) Viens-t'en! J'en ai écouté des *National Geographic*!

JEAN

(À l'ours:) J'en ai vu des pires que toi au zoo de Granby! *(À Stéphane:)* C'est quand le p'tit gars ours prend son courage à deux mains pis qu'il part. C'est émouvant!

STÉPHANE

(Vraiment peu intéressé à l'histoire de son père.) Ça doit… *(En direction des grognements de l'ours.)* Amène-la ta gernotte! Tiquisse!

JEAN

Tiquisse!

STÉPHANE

Tiquisse!

JEAN

(S'emportant.) Tiquisse! Menoume! Menoume! Menoume!

STÉPHANE

(Regarde Jean, surpris.) Papa? Papa?

JEAN

(Brandissant toujours son filet.) Quoi?

STÉPHANE

Il est parti. Tu lui as fait peur.

JEAN

C'est peut-être juste une tactique pour nous avoir par-derrière.

STÉPHANE

Voir si un ours peut planifier ça.

JEAN

On sait jamais.

STÉPHANE

Ouan... *(Retournant à leur site.)* Il a peut-être vu ton film.

JEAN

Ça en fera au moins un.

STÉPHANE

(S'assoyant et s'étirant.) Ça m'a fait du bien cette petite partie de chasse, là! Je me suis jamais senti fort de même.

JEAN

La nature, ça fait ça, mon fils. On découvre nos forces parce qu'on peut pas faire appel à personne.

STÉPHANE

C'est vrai. Pendant une fraction de seconde, j'ai pensé appeler le 911.

JEAN

Comme tu pouvais pas le faire, t'as pris la première arme qui t'est tombée sous la main pis t'as foncé. *(Un temps, mesurant son effet.)* Comme quand on signe un bail!

STÉPHANE

Grand-papa m'a déjà raconté qu'un ours peut…

JEAN

(Refroidi.) Ton grand-père a toujours aimé ça, faire peur aux enfants.

STÉPHANE

Il a dû être un bon père pareil.

JEAN

Mon père a été loin d'être un bon père! Quand j'ai eu dix-sept ans, pour ma fête, il m'a mis dehors.

STÉPHANE

Ça, c'est un cadeau stimulant!

JEAN

(Estomaqué.) Pardon? T'aurais aimé ça que je te mette à porte à dix-sept ans? Ça ferait dix ans que tu serais dans la rue!

STÉPHANE

Je me serais débrouillé.

JEAN

Es-tu en train de me dire que je t'ai empêché d'apprendre à te débrouiller?

STÉPHANE

Non. C'est juste que Rachel pis toi vous êtes pas ce genre de parents-là.

JEAN

Quel genre?

STÉPHANE

Celui de grand-papa. Vous préférez être derrière vos enfants. Vous êtes le genre protecteur. Couveux.

JEAN

(En riant:) Tu veux dire que Rachel pis moi, on est le genre parents poules?

STÉPHANE

(En riant aussi:) Ouan! *(Un temps.)* C'est ben fatigant! *(Jean s'étouffe.)* Je trouve ça un peu mou comme éducation, mais Piaget l'a dit: l'intelligence, c'est la capacité de s'adapter à son milieu et d'y survivre.

JEAN

Ma fin de semaine m'aura toujours ben appris ça!

STÉPHANE

Ben oui, qu'est-ce qui t'a pris de m'inviter comme ça? C'est tout un contrat, me changer en homme en deux jours! T'as pas l'habitude de t'inquiéter d'affaires de même. *(Moqueur.)* Ça doit être ta ménopause.

JEAN

Je te regarde aller pis je trouve que tu te cherches pas mal. *(Amer.)* Avoir su que c'était de ma faute.

STÉPHANE

Tu stresses, Jean...

JEAN

Je me suis dit, une fin de semaine pour faire le point, ça lui fera pas de tort!

STÉPHANE

C'est ben cool de même!

> *Stéphane rit pour faire baisser la tension, Jean finit par rire lui aussi.*

JEAN

Aimes-tu ça étudier en administration?

STÉPHANE

J'ai changé de branche.

JEAN

Encore?

STÉPHANE

Je suis en anthropologie depuis Pâques.

JEAN

Comment ça?

STÉPHANE

Maman a eu un trip de poisson pendant la semaine sainte. Y avait juste ça dans le frigidaire. Ça fait que j'ai eu le goût de remonter dans le temps pour savoir d'où ça venait cette coutume-là... On dirait que je veux tout faire!

JEAN

Ou t'impliquer à fond dans rien.

STÉPHANE

Qu'est-ce que tu veux insinuer?

JEAN

Rien de négatif. C'est très fréquent d'avoir peur de s'impliquer dans une chose. Alors on fait un tas d'affaires à la fois, mais en surface.

STÉPHANE

Je suis loin d'être un gars superficiel.

JEAN

C'est pas ce que je dis.

STÉPHANE

Ce que tu réalises pas, c'est que je suis un passionné qui s'intéresse à tout! Je veux tout voir, tout étudier! Pis si j'en finis pas un bac, c'est pas plus grave que ça. Pour moi, c'est pas le papier qui compte.

JEAN

Pour moi non plus.

STÉPHANE

De toute façon, pour ce que ça donne.

JEAN

Entièrement d'accord avec toi!

STÉPHANE

(Un temps.) C'est ça le problème avec toi, papa. T'es toujours d'accord. Je dévaliserais ta caisse que tu trouverais le moyen de trouver ça correct.

JEAN

(Amusé.) Charrie pas!

STÉPHANE

Jamais eu de prise de position. Tout a toujours été parfait. Jamais eu d'heure de couvre-feu...

JEAN

(Riant:) Qu'est-ce que ça aurait donné? Tu rentrais toujours à l'heure!

STÉPHANE

Ça m'aurait donné de quoi me rebeller! De quoi m'enrager contre toi! Mais non! Le père parfait!

JEAN

(Qui n'en revient pas:) Tout ce que j'aurais donné, moi, pour avoir un père comme moi!

STÉPHANE

On choisit pas nos parents.

JEAN

Ni nos enfants.

Silence pesant.

STÉPHANE

(Pour lui-même:) Ah, ben, je me ferai pas dire ça deux fois!

Insulté, Stéphane, ramasse son sac de couchage et plie bagage.

JEAN

Moi non plus! «On choisit pas nos parents», pfft! *(Il plie aussi bagage.)*

STÉPHANE

(Pour lui-même:) «On choisit pas nos enfants.» Il avait rien qu'à pas en faire! Pfft! S'il m'a pas choisi, je vois pas pourquoi je me forcerais à rester ici, moi! Wo!

JEAN

Il veut s'arranger tout seul, ben qu'il s'arrange!

> *Prêt, Stéphane s'éloigne.*

JEAN

(L'interpellant:) Stéphane!

> *Stéphane soupire et s'arrête.*

JEAN

C'était quand même pas pire notre partie de pêche.

STÉPHANE

Ta partie de pêche. C'est ton idée cette fin de semaine là, pas la mienne. T'aimes ça jouer aux guerriers, chavirer vingt fois en canot, dormir dans la bouette: pas moi. Là, je sacre mon camp, mais je suppose que tu me «comprends»!

> *Agacé, Stéphane tue plusieurs moustiques sur lui.*

JEAN

C'est ton antisudorifique. T'aurais pas dû t'en mettre. Surtout qu'on s'est pas lavés.

STÉPHANE

C'est un *must* pour moi. Je peux pas passer un matin sans m'en mettre. Mais je suis sûr que tu «comprends».

JEAN

Non.

STÉPHANE

Han? Tu comprends pas ça?

JEAN

(S'emporte.) Non! C'est un choix insensé! Des fois, on dirait que tu réfléchis pas avant d'agir ou que t'attends que les autres réfléchissent à ta place!

STÉPHANE

Han? Ça t'écœure que je me mette du «push-push» tous les jours?

JEAN

Dans le bois, oui! C'est illogique! Les bébittes peuvent ben te courir après.

STÉPHANE

C'est de mes affaires si je veux m'en mettre pareil!

JEAN

Y a des jours, je me demande où c'est que t'as la tête. Excuse-moi mais…

STÉPHANE

Excuse-toi pas, continue!

JEAN

Je trouve ça ridicule…

STÉPHANE

Plus fort!

JEAN

Je trouve ça ridicule que tu te mettes de l'antisudorifique par-dessus du vieux!

STÉPHANE

Tu trouves ça ridicule! Je suis content de savoir ça!

JEAN

Je te l'ai jamais dit?

STÉPHANE

Non.

JEAN

Ben là, je te le dis!

STÉPHANE

Mais moi, j'aime ça. *(Il tue des moustiques.)*

JEAN

Endure tes maringouins d'abord!

STÉPHANE

Encore!

JEAN

(À bout de souffle.) Endure tes maringouins pis viens
pas te plaindre!

Un temps.

STÉPHANE

C'est la première fois que tu respectes pas un de mes choix.

JEAN

Exagère pas.

STÉPHANE

J'exagère pas!

> *Stéphane s'approche de son père et pose sa main sur son épaule, solennellement.*

STÉPHANE

Papa... Depuis qu'on est revenus du lac que j'ai un projet.

JEAN

Lequel?

STÉPHANE

Escalader le rocher blanc qu'on a contourné avec le canot.

JEAN

Celui sur lequel on a rasé s'échouer?

STÉPHANE

En plein ça.

JEAN

Es-tu fou?

STÉPHANE

T'es pas obligé de me suivre. Mais moi, mon père, j'ai envie de me dépasser!

JEAN

J'aime ça!

STÉPHANE

Papa, pour moi ta fin de semaine pour me faire vieillir commence à faire effet…

JEAN

Ah, oui?

STÉPHANE

Avec l'humidité qu'on a pognée, je commence à faire de l'arthrite!

Joyeuse accolade.

Rachel, Odile et Carole-Anne

Coupe de vin à la main, Carole-Anne et Rachel dansent au rythme d'une musique des Beatles. Carole-Anne déborde d'énergie, Rachel a déjà un peu trop bu... et Odile tape du pied, assise sur le récamier.

RACHEL

(Montrant une bouteille vide:) On en ouvre-tu une autre?

ODILE

Non! Moi, deux, trois verres, j'en ai plein mon casque!

CAROLE-ANNE

J'en prendrais encore, moi! Quand j'étais jeune, mon trip, c'était de boire ma caisse de douze quand j'allais dans un party.

ODILE

J'ai mal au cœur...

CAROLE-ANNE

Vomis, ça fait toujours du bien. Moi, la dernière fois que j'ai été malade, c'est à la vodka. J'ai vomi entre la laveuse et la sécheuse chez ma mère. Ça puait! J'avais mangé du spaghetti pis de la pizza! *(À Odile:)* J'ai été malade! J'en avais partout. Ça me coulait dans le cou.

ODILE

Arrête!

RACHEL

Ouan, arrête donc!

CAROLE-ANNE

(À Odile:) Je peux te mettre les doigts dans la gorge pour t'aider, si tu veux? Je l'ai souvent fait pour mes amis. Ça m'écœure pas.

ODILE

Je suis correcte.

CAROLE-ANNE

C'est toi qui le sais. On joue-tu à un jeu?

RACHEL

Aux poches!

ODILE

Wash…

RACHEL

Aux dards?

CAROLE-ANNE

Ça existe encore, ça?

RACHEL

Trouvez-en donc un!

CAROLE-ANNE

Les détecteurs de mensonges!

RACHEL

L'histoire que tu donnes deux menteries pis une vérité?

CAROLE-ANNE

Le contraire. Deux vérités, un mensonge.

RACHEL

(Étourdie.) C'est mélangeant.

ODILE

C'est le fun, ça!

RACHEL

(À Odile:) Ben commence!

ODILE

Comme ça là… ça me vient pas.

CAROLE-ANNE

Moi, oui! J'ai déjà eu une gastro qui sortait par les deux bouts pendant un réveillon de Noël…

ODILE

(L'interrompant, écœurée:) Je vais commencer...

CAROLE-ANNE

De toute façon, il m'en manquait un...

RACHEL

(À Carole-Anne:) Prends ton temps pour y penser.
Prends ton temps!

ODILE

J'ai fait l'amour pour la première fois à... à quatorze ans.

RACHEL

(Surprise.) À quel âge?

CAROLE-ANNE

Quatorze. Y a rien là. Moi, c'était à treize.

RACHEL

(Elle rit.) Moi qui pensais qu'elle l'avait jamais fait!
Faut fêter ça! *(Elle lève son verre et prend une gorgée.)*

ODILE

J'ai déjà volé un...

RACHEL

T'as déjà volé? Mais on t'a jamais privée de rien!

ODILE

Maman! Laisse-moi parler! C'est pas juste des vérités
qu'y faut dire. Surtout que c'est pas facile en partant,
tu connais tout de moi.

RACHEL

On a droit à un mensonge, pas deux!

CAROLE-ANNE

Je peux le faire, moi, j'ai trouvé mes deux autres affirmations.

RACHEL

Vas-y!

CAROLE-ANNE

(Mal à l'aise.) Je… j'ai trouvé mon appartement ce matin. On entre dedans le 1er juillet. *(Odile lui fait signe de poursuivre, intéressée.)* La première fois que Stéphane et moi, on a fait l'amour ensemble, il a…

RACHEL

Oui?

CAROLE-ANNE

Non. Il voudrait pas que je vous dise ça.

ODILE

Ah! Il le saura pas!

CAROLE-ANNE

Non…

ODILE

On est entre femmes!

CAROLE-ANNE

(Hésitante.) Ah… Non, je peux pas! Mon père a commencé à avoir des problèmes de prostate à l'âge de…

ODILE

(L'interrompant:) On s'en fout de la prostate de ton père. Parle-nous de celle de mon frère!

RACHEL

On se sentirait plus concernées!

CAROLE-ANNE

Ben, attendez…

RACHEL

Moi! *(Elle réfléchit.)* Je suis tombée enceinte… la première fois que j'ai fait l'amour avec Jean.

CAROLE-ANNE

(À Odile:) Ça doit être vrai. Dans son temps, c'était immanquable.

RACHEL

On m'a donné trente ans lors du dernier recensement. *(Elle et Odile lancent un regard à Carole-Anne pour qu'elle se taise.)* Et j'ai convaincu mon mari de parler à mon fils pour lui faire comprendre qu'il serait temps qu'il vole de ses propres ailes afin qu'on se retrouve juste tous les deux, ce même mari et moi.

CAROLE-ANNE

Comme des jeunes mariés?

RACHEL

Je le sais pas, je suis tombée enceinte avant.

CAROLE-ANNE

Le mensonge, c'est qu'on t'a jamais donné trente ans au dernier recensement!

Odile approuve.

RACHEL

J'haïs ça, ce jeu-là. *(Elle retourne à sa bouteille pour se verser un autre verre.)*

ODILE

(À Rachel:) Ah, ben, y était temps que papa pis toi vous mettiez Stéphane dehors!

Le téléphone sonne.

ODILE et CAROLE-ANNE

Grand-papa!

RACHEL

Il va en avoir pour son argent! *(Enlignant ses pas du mieux qu'elle le peut, Rachel se rend au téléphone et répond.)* Monsieur Arsenault? Si vous appelez une autre fois, j'appelle à la Régie des rentes pis je leur dis que vous travaillez en dessous de la table! *(Un temps.)* Stéphane? Pourquoi t'appelles?... De l'hôpital? Es-tu malade?... Jean! Vous avez eu un accident?

ODILE

(Elle se laissant tomber sur le récamier.) Non, non, non, non, non!

RACHEL

(Au téléphone.) C'est rien. Ta sœur fait une crise de cœur. Parle-moi de Jean!

> *Carole-Anne s'empare d'une des jambes d'Odile afin de lui faire un massage pour la calmer.*

RACHEL

(Au téléphone.) Je suis très calme!... Je te promets de pas paniquer pis de pas me rendre à l'hôpital. Lequel au fait? Qui vous a emmenés là?... T'es certain que c'est pas grave?... Demain matin?... Tu me connais mal! Tu me verras pas à l'hôpital à soir!... Si j'ai bu? *(Elle sent le combiné.)* Ça sent'y jusque-là? Je vais aller vous chercher demain matin... C'est ça. Bonne nuit. *(Elle raccroche.)*

CAROLE-ANNE

Qu'est-ce qui se passe?

RACHEL

Sont à l'hôpital! Dépêchez-vous, on y va!

> *Les deux filles ramassent leurs sacs à main et leurs souliers. Rachel a du mal à garder son équilibre... Tant bien que mal, elle enfile son soulier au talon cassé.*

CAROLE-ANNE

Rachel, ton talon est cassé!

RACHEL

C'est des idées que tu te fais.

ODILE

Qui va conduire? Avec trois verres et demi de vin dans le corps, je peux pas, moi.

RACHEL

Je vais conduire! Si je peux trouver mes claques, je veux dire mes clés...

ODILE

C'est trop dangereux.

CAROLE-ANNE

On prend un taxi.

RACHEL

On prend mon auto!

CAROLE-ANNE

Je vais conduire, d'abord! Où c'est qu'on va?

RACHEL

À l'urgence de Saint-Jérôme!

ODILE

Comment qu'y ont fait pour se rendre jusque-là?

RACHEL

Je le sais pas! J'écoutais pas. Vite!

ODILE

(Paniquée.) Dans quel état ils sont?

RACHEL

(Prenant son encyclopédie dans la bibliothèque:) Je le sais pas! Mais ma p'tite encyclopédie médicinale va nous le dire. Je vais lire ça dans l'auto.

Rachel sort de la maison.

CAROLE-ANNE

Des plans pour vomir! *(Partant rapidement derrière Rachel.)* Rachel! Attends!

ODILE

Maman! Maman! Attends-moi!

ENTRACTE

SCÈNE 10

Stéphane, Odile, Rachel
et Carole-Anne

À l'hôpital. Stéphane s'allume une cigarette tout comme Rachel arrive en courant.

STÉPHANE

Maman!

RACHEL

Stéphane! *(Se jette dans ses bras.)* Où est ton père?

Odile entre à son tour.

STÉPHANE

Odile!

RACHEL

(Relevant la tête:) Dis-moi toute la vérité!

Carole-Anne fait son entrée.

STÉPHANE

Carole-Anne!

RACHEL

Je veux tout savoir!

STÉPHANE

Qu'est-ce que vous faites ici? *(À Rachel:)* Je t'avais dit que tout était sous contrôle.

RACHEL

Je veux pas que tu me caches rien.

CAROLE-ANNE

(À Rachel:) C'est peut-être mieux qu'il t'épargne. À ton âge, ça se voit souvent des crises de cœur.

RACHEL

Quel âge tu me donnes, coudon?

ODILE

(À Carole-Anne:) Dis-y pas. Elle le prendra pas.

RACHEL

Je suis en parfaite santé et j'ai le moral très solide pour une femme de quarante-huit ans!

CAROLE-ANNE

J'aurais dit quarante-cinq!

ODILE

C'est bon…

CAROLE-ANNE

Quarante-huit, c'est presque cinquante. Y paraît que c'est pas facile à prendre, ça.

ODILE

Tu parles trop...

RACHEL

J'ai arrêté de l'écouter quand elle a dit «quarante-cinq».
(À Stéphane:) Est-ce qu'il nous entend encore quand
on y parle?

STÉPHANE

Papa?

RACHEL

Qui d'autre?

STÉPHANE

Ben oui, il entend! T'es soûle, maman.

RACHEL

Du tout! C'est le choc!

ODILE

(À Stéphane:) On a un peu fêté...

CAROLE-ANNE

(À Stéphane:) On pouvait pas savoir que vous auriez
un accident.

RACHEL

(Se dégageant de l'étreinte de son fils:) Jean!

STÉPHANE

Êtes-vous venues en autobus?

ODILE

Non.

STÉPHANE

(Alarmé.) En auto?

ODILE

Carole-Anne a conduit.

STÉPHANE

Carole-Anne?

CAROLE-ANNE

(À Stéphane.) Chut...

STÉPHANE

Elle a jamais conduit!

RACHEL

(Elle s'effondre. Stéphane la rattrape juste à temps.) Elle a jamais conduit!

CAROLE-ANNE

Une manuelle! *(À Rachel:)* J'ai jamais conduit une manuelle.

STÉPHANE

(Déposant Rachel sur le banc:) Ni manuelle ni automatique!

CAROLE-ANNE

Ferme-la donc. Tu vois pas que tout le monde est nerveux.

STÉPHANE

T'as jamais conduit!

CAROLE-ANNE

Qu'est-ce que t'en sais?

STÉPHANE

Vous êtes vraiment imprudentes. J'en reviens pas!

ODILE

(Épongeant le front de sa mère:) Moi, non plus.

CAROLE-ANNE

On s'est rendues? On est toutes là? Rachel, j'ai déjà conduit un tracteur, un trois roues, quasiment un autobus!

RACHEL

Le mensonge, c'est l'autobus!

ODILE

Je vais aller chercher des cafés...

CAROLE-ANNE

Bonne idée!

RACHEL

Moi, j'en veux pas.

ODILE

T'en as besoin autant que nous autres.

RACHEL

Tu me feras jamais avaler ça.

CAROLE-ANNE

Pourquoi?

STÉPHANE

Elle est contre ça.

ODILE

On la forcera. On lui bouchera le nez.

CAROLE-ANNE

Je peux le faire! Ça m'écœure pas, moi.

ODILE

(Donnant une boîte de chocolat à Stéphane:) C'est des chocolats pour papa.

Odile sort.

RACHEL

(Se relevant:) Si il est pas au sérum!

STÉPHANE

C'est pas si pire que ça.

RACHEL

Pourquoi tu veux pas me le montrer d'abord?

STÉPHANE

Il est en examen.

RACHEL

Il nous reconnaît encore, toujours?

STÉPHANE

Tu le verras quand t'auras dégrisé.

RACHEL

Ça pue, des hôpitals!

CAROLE-ANNE

Des hôpitaux, Rachel. On dit des hôpitaux.

RACHEL

Hôpitaux ou hôpital, ça pue pareil!

CAROLE-ANNE

Vas-tu vomir?

RACHEL

T'aimerais ça, hein?

CAROLE-ANNE

Par expérience, je sais que ça fait du bien.

RACHEL

Stéphane, dis-moi où est ton père.

STÉPHANE

(Prenant sa mère dans ses bras:) Viens t'asseoir.

RACHEL

(Reniflant Stéphane:) C'est toi qui pues.

STÉPHANE

Merci.

Il conduit Rachel jusqu'au banc.

CAROLE-ANNE

Tu devrais te sentir à l'aise, ici, Rachel.

RACHEL

Pourquoi?

CAROLE-ANNE

Sont en rénovations. On jurerait ta maison!

RACHEL

(Elle préfère ne pas répondre à Carole-Anne. À Stéphane:) Ça doit être grave pour que tu veuilles pas me montrer ton père.

Stéphane essaye de faire asseoir Rachel sur le banc. Cette dernière résiste.

STÉPHANE

(À Rachel:) Assis-toi!

CAROLE-ANNE

On dirait que ça y tente pas.

RACHEL

Ça me tente pas.

CAROLE-ANNE

Je te l'avais dit.

STÉPHANE

(Impatient, à Carole-Anne:) S'il te plaît. *(À Rachel:)* Maman, tu vas te faire mal si tu tombes.

RACHEL

Je tromberai pas.

CAROLE-ANNE

Tomber, Rachel, pas trombrer.

RACHEL

Je tromberai ben si je veux!

STÉPHANE

Eille, je suis pas obligé de te soutenir, moi!

RACHEL

Lâche-moi d'abord! Je t'ai rien demandé. Je veux voir mon mort. Je veux dire, mon mari!

STÉPHANE

Non. T'es pas en état.

RACHEL

J'ai pas de permission à te demander. C'est moi la mère!

CAROLE-ANNE

C'est vrai, c'est elle qui a figure d'autorité.

STÉPHANE

(À Carole-Anne:) De quoi je me mêle?

RACHEL

Ça tourne…

CAROLE-ANNE

Elle va vomir!

RACHEL

Non!

STÉPHANE

(À Rachel:) Assis-toi.

RACHEL

Non. N-o-n *(À Carole-Anne:)* C'est-tu ça?

CAROLE-ANNE

Oui.

RACHEL

N-o-n, non. *(Elle part.)* Je vais le trouver toute seule, mon mari! *(En sortant, elle chante:)* «Quelle importance, le temps qu'il nous reste! Nous aurons la chance de mourir ensemble...»

STÉPHANE

Maman! Reviens ici! Rachel! Maudit…

CAROLE-ANNE

Je vais la rattraper.

STÉPHANE

Toi, reste ici.

Stéphane et Carole-Anne, puis Odile

Carole-Anne s'approche de Stéphane et l'embrasse.

CAROLE-ANNE

C'est vrai que tu sens drôle.

STÉPHANE

C'est mon antisudorifique.

CAROLE-ANNE

T'aurais pas dû t'en mettre.

STÉPHANE

Je le sais. *(Ne sachant par quel bout commencer.)* Qu'est-ce que tu fais ici?

CAROLE-ANNE

J'ai accompagné ta mère pis ta sœur. J'étais quand même pas pour rester chez vous. J'ai un cœur!

STÉPHANE

J'ai mal posé ma question. Qu'est-ce que tu faisais chez mes parents?

CAROLE-ANNE

Ben! C'est en fin de semaine que je venais nous trouver un appartement.

STÉPHANE

Que tu venais «visiter» des appartements.

CAROLE-ANNE

C'est pareil.

STÉPHANE

On n'a pas encore pris de décision, me semble.

CAROLE-ANNE

La mienne est prise. Toi, tu prends la fin de semaine pour te décider.

STÉPHANE

Carole-Anne, tu me pousses trop! Pis tu m'as pas répondu. Pourquoi t'es allée chez mes parents sans m'en parler?

CAROLE-ANNE

J'ai pensé que je pouvais prendre ta chambre. Coudon, à quoi ça sert de sortir avec toi?

STÉPHANE

On fait juste sortir ensemble, justement.

CAROLE-ANNE

Je te rappelle que ça fait un an.

STÉPHANE

T'as pas dit à Rachel qu'on partait ensemble, j'espère?

CAROLE-ANNE

Je t'ai promis que j'en parlerais à personne. Je reviens jamais sur des promesses. Même si je les trouve niaiseuses.

STÉPHANE

T'as pas pensé deux p'tites minutes que ça me ferait peut-être plaisir — si j'avais à le faire — de te présenter moi-même à ma famille?

CAROLE-ANNE

Ça se peut-tu être «twitt» de même à vingt-six ans!

STÉPHANE

En tout cas, tu harcèles ça, des «twitts»!

CAROLE-ANNE

C'est pas du harcèlement que je fais, c'est du *coaching*! Avec toi, c'est toujours la même chose: jamais capable de prendre une décision! T'as le don de tout compliquer pis de passer à côté de toute. Je t'attendrai pas toute ma vie, moi.

STÉPHANE

O.K., je la prends, ma décision.

CAROLE-ANNE

Bon!

STÉPHANE

J'irai pas vivre avec toi.

CAROLE-ANNE

Comment ça? On a fait la liste des avantages pis des inconvénients trois fois! Le résultat est toujours le même: on serait mieux de vivre ensemble. Tu m'aimes pus?

STÉPHANE

Ben oui, je t'aime.

CAROLE-ANNE

Qu'est-ce que tu veux de plus?

STÉPHANE

Du temps. Je peux pas partir comme ça. *(Un temps.)* J'ai pas préparé mes parents. Ils vont mal le prendre. Ils ont besoin de moi. Surtout avec l'accident…

CAROLE-ANNE

Qu'est-ce qu'il a, au juste, ton père?

STÉPHANE

Ben… il est blessé.

CAROLE-ANNE

Blessé comment?

STÉPHANE

Ben… blessé, blessé.

CAROLE-ANNE

Blessé où?

STÉPHANE

Une jambe.

CAROLE-ANNE

Cassée?

STÉPHANE

C'est plutôt la cheville.

CAROLE-ANNE

Cassée, amputée, greffée?

STÉPHANE

Eille, je suis pas médecin!

CAROLE-ANNE

Il a vraiment besoin de toi?

STÉPHANE

Oui.

CAROLE-ANNE

Pissou! C'est toi qui es pas capable de partir de chez vous! «L'amour est un cul-de-sac», je te le fais pas dire!

STÉPHANE

T'as lu mes poèmes?

CAROLE-ANNE

Oui! Pis j'ai été assez folle pour trouver ça bon!

STÉPHANE

T'as fouillé dans mon intimité?

CAROLE-ANNE

Ça fait un an que je fouille dans ton intimité, pis tu t'en es jamais plaint.

STÉPHANE

Je te parle de mes poèmes!

CAROLE-ANNE

Tes poèmes! Comme si ça cachait des secrets d'État. On va vivre ensemble! Je vais finir par les savoir par cœur, «tes poèmes»!

STÉPHANE

On va pas vivre ensemble.

CAROLE-ANNE

Pourquoi?

> *Odile arrive avec les cafés.*

ODILE

Les cafés!

> *Elle s'arrête, ne voulant pas être mêlée à la dispute, mal à l'aise.*

CAROLE-ANNE

(À Stéphane:) Ça te ferait juste du bien de manger un peu de beurre de peanuts. *(Elle empoigne son sac, prête à partir.)* Pis veux-tu que je t'en annonce une

bonne? Ton père avait le mandat de t'aider à décoller en fin de semaine!

STÉPHANE

Qu'est-ce que tu racontes là?

CAROLE-ANNE

Tes parents ont autant besoin de toi que d'un chien dans un jeu de quilles! Si t'aimes ça jouer au chaperon pis dans les jupes à moman, c'est de tes affaires! Moi, j'en ai jusque-là! Je vais m'arranger autrement. Bye.

ODILE

(À Carole-Anne:) Café?

STÉPHANE

Carole-Anne!

CAROLE-ANNE

(Elle se retourne.) Adresse-moi pus la parole. J'ai peur de me faire poursuivre pour détournement de mineur!

Carole-Anne quitte les lieux.

STÉPHANE

(L'interpellant:) Carole-Anne!

ODILE

(À Stéphane:) Café?

STÉPHANE

Maudit...

Stéphane et Odile

Stéphane s'assoit, la tête entre ses deux mains. Odile lui tend un café, l'air de vouloir ainsi le consoler.

ODILE

Café?

STÉPHANE

Y est-tu buvable?

ODILE

Après quatre, tu le goûtes pus.

> *Stéphane prend un verre de café, Odile veut repartir.*

STÉPHANE

Peux-tu rester quelques minutes?

ODILE

Les cafés vont refroidir. Pis moi les émotions, là… ben de la misère avec ça. J'ai même pas passé psycho I au cégep, ça fait que…

STÉPHANE

(Pointant la porte qu'a empruntée Carole-Anne pour sortir:) Elle veut qu'on aille vivre ensemble pis je suis pas prêt. Avec mes études... mes projets....

ODILE

Quels projets?

STÉPHANE

Ben... J'aime être complètement libre pour le Festival de jazz.

ODILE

Ça dure deux semaines!

STÉPHANE

Y a le Festival des films du monde aussi!

ODILE

J'ai connu un gars pas mal plus occupé que toi! Bob! Le seul candidat potable et libre de l'étage.

STÉPHANE

Ç'a combien d'étages la place Ville-Marie?

ODILE

Quarante-sept.

STÉPHANE

Décourage-toi pas! *(Un temps.)* C'est-tu vrai que papa avait le mandat de me faire comprendre qu'y est temps que je parte de la maison?

ODILE

Ben…

STÉPHANE

Ça veut dire que c'est vrai.

ODILE

Maman a dit quelque chose du genre pendant qu'on jouait au jeu des mensonges, mais avec le vin qu'on a pris… C'est pus tellement clair.

STÉPHANE

Eille, ça fait mal d'apprendre ça!

ODILE

C'est normal que tu fasses ta vie pis que tu leur laisses le champ libre à un moment donné.

STÉPHANE

Regardez-moi qui parle!

ODILE

Quoi? Je te l'ai dit que j'avais pas le don de remonter les autres!

STÉPHANE

Madame est toujours rendue chez nous. Elle est là plus souvent que moi pis elle vient me dire que je devrais partir? Mais où c'est que tu voudrais que j'aille? J'ai rien à moi. Même mes poèmes, que je garde dans un tiroir barré, sont entendus par tout le monde.

ODILE

C'est Carole-Anne qui a fouillé, pas moi.

STÉPHANE

Vous respectez rien de moi! Tout ce que j'aimais dans la maison, Rachel l'a fait disparaître. J'ai le malheur de partir quelques minutes, tu viens t'installer dans ma chambre. J'ai envie de me rapprocher de mon père, il m'invite en camping pour me mettre à la porte de la maison. Je donne tout ce que je peux à la seule fille que j'aime, mais elle est me sacre là si je vais pas vivre avec! C'est le fun!

ODILE

Si tu te branchais aussi...

STÉPHANE

Me brancher! Me brancher! Je veux ben! Mais je le sais pas quoi faire. Ça été facile pour toi, compte-toi chanceuse. T'as toujours su ce que tu voulais faire dans la vie.

ODILE

Mais j'ai jamais su avec qui, par exemple!

STÉPHANE

J'étouffe, comprends-tu? Carole-Anne m'étouffe. En même temps, je pense que c'est la première fille que j'aime autant.

ODILE

C'est facile, elle est folle de toi.

STÉPHANE

C'est peut-être ça. C'est la première fille qui me veut au point de venir me chercher dans un tiroir barré. Faut le faire! Pis elle est sincère. Elle est honnête, elle. Je peux pas en dire autant de mon père. C'est pas avec du monde comme lui que je peux me sentir important.

INTERPHONE

Monsieur Stéphane Arsenault est demandé à la réception. Monsieur Stéphane Arsenault est demandé à la réception.

STÉPHANE

Ça, c'est maman qui s'est perdue. *(Il se lève.)*

ODILE

(En désespoir de cause.) C'est même pas vrai ce que tu dis! Je suis pas toujours à la maison.

STÉPHANE

J'ai rien dit, Odile. Laisse faire. Oublie ça. *(Prenant le plateau de cafés:)* Attends-moi. Je reviens.

Stéphane sort.

Odile, Rachel et Jean

Rachel entre du côté opposé à celui de la sortie de Stéphane. Elle lit un passage de son encyclopédie médicale.

RACHEL

«Traumatismes crâniens…

ODILE

(Apercevant Rachel.) Où étais-tu?

RACHEL

… ils sont de plus en plus nombreux et de plus en plus graves. Ils peuvent déterminer des lésions osseuses et cérébro-méningées.» Je l'invente pas!

ODILE

Veux-tu une autre compresse d'eau froide?

RACHEL

Pour quoi faire?

ODILE

Pour ta tête, c't'affaire!

RACHEL

Je me sens très bien.

ODILE

Attends-moi ici. *(En sortant:)* Stéphane!

RACHEL

«Lors de lésions cérébrales proprement dites; outre les compressions de l'encéphale — si le beau-père pouvait donc pogner ça — en rapport avec les hématomes, il peut s'agir souvent de commotion cérébrale ou de contusion cérébrale.»

Jean entre, assis sur un fauteuil roulant.

RACHEL

(Refermant son encyclopédie:) Je suis capable d'en prendre!

JEAN

Moi aussi!

RACHEL

Jean! *(Allant à sa rencontre:)* T'es vivant!

JEAN

Stéphane t'a appelée?

RACHEL

(*Étourdie par son emportement:*) J'ai mal au cœur...

JEAN

Je lui avais dit aussi de pas t'énerver avec ça! Les hôpitaux, ça t'a jamais fait.

RACHEL

Je filerais pour m'étendre.

JEAN

Va sur la civière.

RACHEL

(*Se rendant à la civière:*) Je pensais jamais te voir en chaise roulante!

JEAN

On sort rarement d'un hôpital sur ses deux pattes!

RACHEL

(*Poussant la civière jusqu'à Jean:*) Un hôpital, deux hôpitaux. Sors-tu aujourd'hui?

JEAN

Je me suis juste foulé une cheville, Rachel. Stéphane a paniqué.

RACHEL

(*S'assoyant sur la civière:*) Foulé une cheville! Pauvre toi!

Jean

C'est pas grave.

Rachel

(Dramatique.) On a déjà vu des gens sortir de leur auto en pleine forme après un accident pis quinze minutes après tomber dans le coma! C'est juste les nerfs qui tiennent! Est-ce qu'ils t'ont prescrit des anti-inflammatoires?

Jean

Oui.

Rachel

Tu vas les prendre avec du lait. J'ai pas envie que tu te retrouves avec des brûlements d'estomac, en plus de ta commotion.

Jean

Ma commotion? T'as bu, toi.

Rachel

Quelques larmes…

Jean

(Incrédule.) Quelques larmes?

Rachel

Ça va mieux, là.

Jean

Aussitôt que tu te sentiras prête, on partira.

RACHEL

Tu sors aujourd'hui?

JEAN

Si toi, tu peux: oui.

RACHEL

Ta commotion te fait pas trop souffrir?

JEAN

Quelle commotion?

RACHEL

Je suis capable d'en prendre.

JEAN

(Vaincu.) Ça s'endure!

RACHEL

T'as été chanceux, tu sais. Ça aurait tellement pu être pire.

JEAN

Toi, ça aurait pas pu l'être plus.

RACHEL

Excuse-moi, c'est le choc.

JEAN

Ou le vin.

RACHEL

C'est le choc. Où sont les enfants?

JEAN

Les enfants?

RACHEL

Notre fils a une bru, je veux dire une blonde. Elle est ici.

JEAN

Elle est médecin?

RACHEL

Non, elle est venue passer la fin de semaine à la maison.

JEAN

Qu'est-ce que t'as bu, toi?

RACHEL

Le Châteauneuf du Pape qu'Odile nous a ramené de voyage, mais c'est pas ça qui m'a fait m'imaginer l'amie de Stéphane.

JEAN

T'es certaine?

RACHEL

Certaine! Il lui a même dit qu'on était quétaines!

JEAN

J'ai hâte de la rencontrer. Es-tu en mesure de partir?

RACHEL

Oui, oui. Moi, les hôpitals...

JEAN

Les hôpitaux, Rachel, les hôpitaux.

> *Assis sur sa chaise, Jean empoigne la civière sur laquelle repose toujours Rachel et entreprend de partir.*

RACHEL

Pis ta fin de semaine de cow-boys?

JEAN

Ben... On a parlé.

RACHEL

Quand est-ce qu'il déménage?

JEAN

Ben... J'ai introduit le sujet.

RACHEL

Juste introduit?

JEAN

On était en plein développement quand j'ai eu l'accident...

RACHEL

Ça fait que t'as pas conclu?

JEAN

C'est ça... On en reparlera à la maison, c'est pas la place, ici.

RACHEL

(À bout.) C'est ça.

JEAN

Larguez les amarres! *(Tirant sur la civière, chantonnant:)* «Le ciel est bleu, la mer est calme...»

RACHEL

«Ferme ta gueule pis rame!»

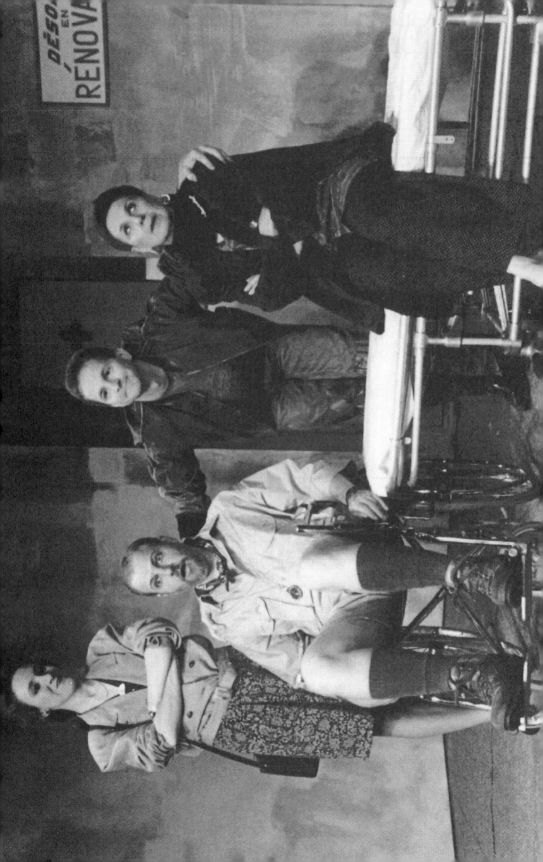

SCÈNE 14

Stéphane, Odile, Jean et Rachel

Stéphane et Odile entrent, Rachel et Jean s'arrêtent.

JEAN ET RACHEL

Les enfants!

STÉPHANE ET ODILE

(Ironiques.) Les parents!

ODILE

(À Jean:) T'es correct?

JEAN

À part ma cheville pis ta mère, ça va, oui.

RACHEL

Où est Carole-Anne?

JEAN

Carole-Anne?

RACHEL

Ta bru.

STÉPHANE

Elle est partie.

RACHEL

C'est toujours comme ça avec tes blondes, Stéphane. Tant que vous vous voyez pas, elles restent!

STÉPHANE

Même à moitié morte, elle a toujours le mot pour rire.

JEAN

Aidez-nous donc!

STÉPHANE

Tu peux sortir?

JEAN

J'ai une bonne étoile! Elle porte peut-être pas mon nom, mais elle est bonne pareil. Han, mon capitaine Crounche!

ODILE

Qui?

STÉPHANE

(À Jean, offusqué:) C'est le fun de te conter de quoi, toi. (Un temps.) Comme ça vous voulez que je parte?

JEAN

On veut tous sortir d'ici.

STÉPHANE

Tu m'as mal compris. Comme ça vous voulez que je parte de la maison? Que je vous sacre patience!

RACHEL

Pas tout à fait en ces termes-là mais…

STÉPHANE

(À Jean:) C'était pour ça la fin de semaine, les parallèles entre les scouts pis la vie, les histoires de bébés ours pis de filles trop jeunes pour moi.

RACHEL

(À Jean:) S'il l'a pris de même…

STÉPHANE

(À Jean:) Moi qui pensais que c'était par intérêt pour ma personne que tu m'avais invité en fin de semaine!

JEAN

C'était ça aussi.

STÉPHANE

En partie… visage à deux faces! C'était pour avoir la conscience en paix de me mettre à la porte.

JEAN

On discutera de ça à la maison. C'est pas la place, ici.

STÉPHANE

Non, je veux savoir la vérité.

RACHEL

(À Jean:) Il veut savoir la vérité.

STÉPHANE

Ça serait le fun, pour une fois, que vous vous teniez sur vos deux jambes.

JEAN

On voudrait ben, mais…

STÉPHANE

Ça joue les parents cool!

JEAN

(Moqueur.) Poule. Ça joue les parents «poules».

STÉPHANE

Cool ou poule, ç'a pas d'importance vu que vous jouez faux! *(Prenant Odile à témoin:)* Ça monte des complots dans le dos de leurs enfants en leur laissant croire qu'ils sont contents qu'ils soient là.

RACHEL

(À Stéphane, pointant Jean:) Il a pas été très clair.

STÉPHANE

Pas vraiment, non!

RACHEL

(S'agenouillant sur la civière:) Je le serai donc. *(Travaillant son équilibre:)* Stéphane, on n'a pas fait de complot, on voulait juste te faire comprendre gentiment qu'on te mettait «dewhors»!

STÉPHANE

Ça, c'est le fun!

RACHEL

On aimerait ben ça que tu te prennes en main.

JEAN

Oui! Tu dois voler de tes propres ailes. Comme un oiseau qui prend conscience que la branche...

RACHEL ET STÉPHANE

Ça va faire, les images!

ODILE

Mets-en.

RACHEL

Et ça vaut aussi pour toi, Odile.

ODILE

Pardon?

RACHEL

Tu dis que tu veux qu'on t'accorde l'importance d'une invitée, ben tu vas agir comme une invitée. Tu vas rester chez vous pis tu vas attendre qu'on t'invite.

Odile reste bouche bée.

STÉPHANE

Toi, papa, tu dis rien?

JEAN

C'est pas qu'on vous aime pas...

RACHEL

On fait juste un effort pour pas en venir là!

STÉPHANE

D'abord, dis-le-moi papa: Va-t'en.

JEAN

Bon... Va-t'en.

STÉPHANE

Quoi? J'ai pas entendu.

JEAN

(Plus fort.) Va-t'en, Stéphane. Fais ta vie.

STÉPHANE

Ça manque de tonus! D'énergie!

JEAN

Franchement!

STÉPHANE

Non, non vas-y, lance-toi!

JEAN

Il m'énerve!

STÉPHANE

C'est pas dur à dire pourtant!

JEAN

(S'emportant:) Bon! Chnaille! Scrame pis bobye!
(Reprenant son souffle:) Tu dois être content, là? On a
fini d'être des parents couveux.

STÉPHANE

Dis-le encore: Mon fils, chnaille!

JEAN

Stéphane, chnaille!

ODILE

(À Stéphane:) Es-tu fou?

STÉPHANE

Non, je veux profiter de ce changement radical-là moi.
Pis pour savourer au maximum l'occasion idéale qui
se présente à moi de me rebeller: je partirai pas.

RACHEL ET JEAN

Quoi?

STÉPHANE

Je reste. Parce que… parce que c'est mieux que de
vous poursuivre pour obtenir une pension alimentaire
qui me permettrait de finir mes études pis de me
payer un p'tit deux et demi. *(À Odile:)* L'auto est où?

ODILE

Dans le stationnement de l'urgence.

STÉPHANE

Je peux te passer ma chambre quand tu veux, Odile. Ça me fait plaisir.

ODILE

Ah, oui? Ben, j'aurai pas besoin d'attendre qu'ils m'invitent.

STÉPHANE

(À Jean:) Salut Patte de gibier!

ODILE

On vous attend dans l'auto.

> *Ils sortent. Jean et Rachel restent là, les bras ballants.*

RACHEL ET JEAN

Ils vont rester?

SCÈNE 15

Stéphane, Odile, Jean et Rachel

*Stéphane entre le premier dans la maison. Il
est suivi d'Odile.*

STÉPHANE

Vous aviez pas barré la porte?

ODILE

Elle est peut-être revenue.

STÉPHANE

(Ouvrant la porte de la chambre:) Carole-Anne! Es-tu
là?

ODILE

Ç'a pas l'air.

STÉPHANE

(Se laissant tomber sur le récamier:) Veux-tu ben me
dire où c'est qu'elle est allée?

ODILE

Je le sais pas mais une jeune fille, toute seule, dans la rue, en pleine nuit...

STÉPHANE

Arrête! Tu vas me faire sentir coupable.

ODILE

J'espère. Dans le fond t'es pareil comme Bob. Vous êtes tous pareils!

STÉPHANE

(S'assoyant sur le récamier, pensif.) Je pensais jamais qu'ils se ligueraient contre leur propre fils, eux autres.

ODILE

On peut pas les blâmer.

STÉPHANE

Coudon, es-tu de mon bord ou pas? Tu l'auras pas plus, ma chambre.

ODILE

Je la veux pas, ta maudite chambre! Elle est grande comme ma main.

> *Jean et Rachel entrent de peine et de misère, visiblement épuisés. Ils se supportent l'un l'autre.*

RACHEL

On est arrivés.

ODILE

(Ironique.) Je pensais que vous passeriez la nuit dans le garage!

RACHEL

(Ironique à son tour.) T'as pas appelé la police?

JEAN

(À Odile:) T'as barré la porte en sortant pis la grande porte se refermait.

ODILE

Par où vous êtes sortis?

RACHEL

On a roulé en dessous de la grande porte.

JEAN

(À Stéphane:) Laisse-nous la place. On est malades.

> *Stéphane se lève et va à la fenêtre, pensif.*

RACHEL

(Se laissant tomber sur le récamier avec Jean:) Enfin rendus... Ça te fait-tu mal, ta cheville?

JEAN

Ça élance.

ODILE

Qu'est-ce qui est arrivé?

JEAN

On a escaladé un rocher, pis je me suis pris le pied entre deux roches.

RACHEL

Pauvre chou!

ODILE

Bon, je vais y aller, moi.

RACHEL ET JEAN

Bye!

ODILE

(À ses parents:) Vous avez pas besoin de moi?

RACHEL ET JEAN

De qui?

ODILE

De moi.

RACHEL

Non.

ODILE

Stéphane?

STÉPHANE

Han?

ODILE

Je pense que le métro est fermé…

JEAN

Appelle un taxi.

ODILE

Ouan... J'avais pas des choses avec moi quand je suis arrivée?

RACHEL

Hier? Mon parapluie, mes sandales, mes draps santé, mon séchoir à cheveux...

STÉPHANE

Pis deux t-bones...

RACHEL

Qui dégèlent dans l'auto de Bob.

ODILE

Parlez-moi pas de lui! *(Douce.)* Vous êtes certains que vous avez pas besoin d'aide?

RACHEL

Certains.

ODILE

Certains, certains?

JEAN

Certains, certains.

ODILE

Parce que ça me ferait rien de rester.

RACHEL

On va s'arranger.

JEAN

Moi, j'ai juste besoin d'un peu de repos.

STÉPHANE

Maman, me passes-tu ton auto?

RACHEL

Encore?

STÉPHANE

Je vais faire le plein avant de te la remettre.

RACHEL

Pis tu vas m'emprunter de l'argent pour le faire. *(Elle lui tend ses clés.)* Prends-la.

ODILE

Pis moi, je prends un taxi?

RACHEL

(À Stéphane.) Donne un *lift* à ta sœur.

ODILE

À moins que papa me passe la sienne.

RACHEL

Wo! On se promènera quand même pas à pied quand on a deux paiements de voiture.

ODILE

Je vous la rapporterai demain matin. Pis vous sortirez pas arrangés de même!

JEAN

Stéphane, donne un *lift* à ta sœur.

STÉPHANE

(À Odile:) Ben, dépêche!

JEAN

(À Stéphane:) Veux-tu ben me dire où tu veux aller avec l'auto en pleine nuit?

ODILE

Un hold-up!

STÉPHANE

Je me prends en main.

ODILE

En empruntant l'auto de ta mère. Ça commence bien...

STÉPHANE

Je vais retrouver Carole-Anne pis je vais aller rester avec.

ODILE

Quoi?

STÉPHANE

Faut que j'arrête de bretter, elle m'attendra pas toute sa vie. J'emménage avec ma blonde.

RACHEL

(Sous le choc.) Il emménage avec sa blonde...

STÉPHANE

(À ses parents:) C'est pas que je vous aime pas mais dorénavant, vous allez devoir apprendre à vivre sans moi.

RACHEL

(Toujours sous le choc.) Il emménage avec sa blonde...

STÉPHANE

(À Odile:) Embraye!

> *Stéphane sort.*

ODILE

Ma sacoche! *(Elle prend son sac à main, oublie ses clés.)* Bye!

> *Odile sort à son tour de la maison.*

RACHEL

Il emménage avec sa blonde...

SCÈNE 16

Jean et Rachel

Les parents Arsenault sont enfin seuls.

JEAN

Les enfants sont partis! Stéphane va retrouver sa Charlotte-Anne.

RACHEL

Carole-Anne.

JEAN

Carole-Anne, Catherine-Anne, ç'a pas d'importance pourvu qu'il aille rester avec!

RACHEL

Y a quelque chose qui me dit que ça va trop vite tout d'un coup…

JEAN

Ben non! Sont grands. On les a rendus à terme. Comme les oiseaux qui poussent leurs oisillons hors du…

RACHEL

(L'interrompant:) Jean…

> *Jean ne termine pas sa phrase. Ils rient.*

JEAN

(Il se lève sur une jambe.) J'ai le cœur à fêter ça!

RACHEL

Moi aussi. *(Elle se lève, étourdie.)* Il me manque juste l'estomac!

> *Jean sautille sur sa jambe jusqu'à la peau de chèvre des Alpes étendue par terre.*

JEAN

T'as acheté une peau d'ours?

RACHEL

De chèvres des Alpes.

JEAN

Oh! *(Plein de sous-entendus:)* Pourquoi?

RACHEL

Pour s'étendre.

JEAN

On l'essaye-tu? *(Il s'étend par terre.)*

RACHEL

C'est confortable, han?

JEAN

Ça chatouille!

RACHEL

C'est plus excitant que des draps-santé! *(Elle glisse à ses côtés.)*

JEAN

Je t'aime.

RACHEL

Je vais avoir cinquante ans dans deux ans…

JEAN

Pourquoi tu dis ça?

RACHEL

(Un peu triste.) Je sais pas…

JEAN

T'aurais dû dire: «Moi aussi, je t'aime», à la place!

RACHEL

J'aime pas ça dire «Moi aussi», pis tu le sais. J'aime te surprendre!

JEAN

Surprends-moi, d'abord. *(Il s'éloigne un peu.)*

RACHEL

T'es pas fatigué?

JEAN

Mon heure est passée.

RACHEL

(Se rapprochant de lui:) Jean?

JEAN

(Feignant d'être préoccupé par autre chose:) Han, quoi?

RACHEL

Je t'aime.

>   *Ils rient.*

JEAN

Moi aussi! Ah, moi aussi, moi aussi! *(Il la serre contre lui.)* Ma vieille peau!

RACHEL

Je le savais que tu me trouvais vieille et laide!

JEAN

Tu le savais et que t'avais donc raison! *(Se retrouvant à quatre pattes:)* Le popa ours va attraper la moman ours! Menoume, menoume?

RACHEL

(À quatre pattes elle aussi, acquiesçant:) Menoume, menoume, menoume, menoume! *(Ils se poursuivent à quatre pattes en poussant de sensuels «menoume, menoume».)*

Rachel, Jean, Odile, Stéphane et Carole-Anne

Odile entre.

ODILE

(Elle aperçoit ses parents par terre.) Qu'est-ce que vous faites là?

JEAN

On n'a pas eu le temps de faire grand-chose!

ODILE

J'ai oublié mes clés. *(Elle va les chercher sur le petit meuble près du récamier.)*

JEAN ET RACHEL

Ah…

ODILE

Bon, je vais y aller.

RACHEL ET JEAN

Bye!

ODILE

Je vais appeler un taxi.

RACHEL

Stéphane t'attend pas?

ODILE

Non, il m'a descendu chez moi. J'ai pris un taxi pour revenir. *(Secouant son trousseau de clés:)* Ça aurait pu prendre des heures avant que je les retrouve, ça fait que j'ai laissé repartir le taxi.

> *Odile éclate en sanglots en s'effondrant sur le récamier.*

RACHEL

Odile, qu'est-ce qui va pas? On voulait pas être brusques avec vous autres. Han, Jean?

JEAN

Ben non.

ODILE

J'ai pas envie de me retrouver toute seule dans mon appartement. Je peux quand même pas appeler Bob!

JEAN

(De bonne foi.) Pourquoi pas?

> *Les pleurs d'Odile redoublent.*

RACHEL

(À Jean:) Oublie ça.

ODILE

Je pense que je fais un *burn-out.*

RACHEL

Il manquait pus rien que ça.

JEAN

(Vaincu, à Odile:) Reste à coucher.

ODILE

Comme Stéphane s'en va, je peux prendre sa chambre?

RACHEL

Ben oui…

ODILE

Je pensais à ça, si Stéphane aime pas l'appartement que Carole-Anne a trouvé, je pourrais leur sous-louer mon appartement.

JEAN

Pis toi, où est-ce que tu irais?

ODILE

Ben… ici. Tu viens de me le proposer!

JEAN

Pour ce soir, pas pour tout le temps!

Stéphane entre avec Carole-Anne.

STÉPHANE

Qu'est-ce que vous faites? Vous êtes pas encore couchés? *(À Odile:)* Toi, je t'ai débarquée chez vous ou j'ai rêvé ça?

ODILE

J'avais oublié mes clés.

CAROLE-ANNE

(S'approchant de Jean, souriante:) Jean?

JEAN

Carole-Anne? *(Il lui serre la main.)* Enchanté.

CAROLE-ANNE

Moi aussi. Stéphane m'a beaucoup parlé de toi.

JEAN

En bien?

RACHEL

(À Carole-Anne:) Réponds pas.

CAROLE-ANNE

(À Jean:) Patte de canard, c'est ça?

JEAN

Gibier, Patte de gibier.

CAROLE-ANNE

Spécial… Comme ça, Patte de gibier s'est cassé la pa-patte pour vrai?

JEAN

Juste foulé.

CAROLE-ANNE

Ah! Y a rien là. J'imaginais l'os sorti, pis toute!

JEAN

Comme dirait ma femme, ça aurait pu être pire.

STÉPHANE

(À ses parents:) Je l'ai retrouvée au terminus. On a pensé partir pour Magog, mais comme fallait que je ramène l'auto. *(Il remet les clés à Rachel.)*

RACHEL

Là, restez-vous ou vous repartez?

STÉPHANE

(À Carole-Anne:) Qu'est-ce que t'en penses?

CAROLE-ANNE

Si c'est une invitation…

RACHEL

C'est pas ce que je voulais dire!

CAROLE-ANNE

On va rester.

ODILE

(À Stéphane:) J'ai pris ta chambre.

STÉPHANE

C'est correct. De toute façon, Carole-Anne et moi, on va s'installer dans le sous-sol. On veut pas être dérangés.

CAROLE-ANNE

Faut qu'on se réconcilie.

RACHEL

Vous allez vous «installer» dans le sous-sol?

CAROLE-ANNE

On n'a pas l'appartement avant juillet. Donc, si ça dérange pas...

STÉPHANE

Ça dérange pas! Il y a jamais personne qui va dans la cave. *(À Carole-Anne:)* Viens! Bonne nuit.

ODILE

Bonne nuit.

CAROLE-ANNE

Bonne nuit.

RACHEL ET JEAN

(Abasourdis.) Bonne nuit...

STÉPHANE

(En sortant, suivi de Carole-Anne:) Je sais pas si on devrait descendre l'ordinateur...

RACHEL

(À Jean:) Patte de gibier, c'est de ton ordinateur qu'il parle.

ODILE

Moi aussi, je vais aller me coucher. Seule. J'ai encore personne avec qui me réconcilier. *(Elle embrasse ses parents.)* Bonne nuit.

RACHEL ET JEAN

Bonne nuit.

ODILE

(Elle s'arrête.) Ah, oui, je voulais vous dire…

RACHEL ET JEAN

(Exaspérés.) Quoi?

ODILE

(Sincère.) Merci de me comprendre.

> *Le téléphone sonne.*

ODILE

Grand-papa. *(Elle décroche le récepteur, raccroche sans parler, éclate de rire et sort.)*

Rachel, Jean, Odile, Stéphane et Carole-Anne

Ils se regardent un instant, découragés.

RACHEL

Je sais pus quoi dire.

JEAN

Dis rien.

RACHEL

Ils m'auront pas!

JEAN

(Il sautille jusqu'au lecteur laser et fait jouer un slow *de John Lennon,* Love.*)* Madame, m'accordez-vous cette danse?

RACHEL

J'ai vraiment pas la tête à ça.

JEAN

J'ai vraiment pas la patte à ça, mais faut composer avec ce qu'on a!

Rachel le rejoint. Ils dansent.

RACHEL

Juillet, c'est dans quinze jours, ça?

JEAN

Treize.

RACHEL

Ça veut dire que Stéphane et Carole-Anne partent dans treize jours. C'est moins pire que je pensais! *(Un temps.)* Quoique treize, c'est un chiffre malchanceux. Ils peuvent aussi ben décider de rester!

JEAN

On n'a pas les moyens de se payer des pensées négatives!

RACHEL

C'est vrai!

Rachel appuie sa tête sur l'épaule de Jean.

RACHEL

(Relevant brusquement sa tête:) Odile fait un *burn-out*!

JEAN

Faut s'arranger pour que Bob la rappelle, pis j'y donne pas une semaine pour qu'elle retrouve son sourire... et son appartement!

RACHEL

T'es fou!

JEAN

Après vingt-sept ans, tu me connais pas encore?

RACHEL

Disons que j'aimerais bien te connaître davantage.

JEAN

Tu perds rien pour attendre.

RACHEL

Oui, treize jours!

> *On entend alors Stéphane pousser de grands cris de joie. Jean et Rachel ont à peine le temps de se regarder qu'apparaît Odile, en robe de chambre, visiblement contrariée. Elle ferme le lecteur laser.*

ODILE

Pas moyen de se coucher tranquille ici! Coudon, avez-vous l'intention de passer la nuit debout, vous autres?

> *Stéphane qui pète le feu entre en tirant Carole-Anne, gênée, par le bras.*

ODILE

Que c'est qui se passe encore?

STÉPHANE

Je suis papa!

RACHEL ET JEAN

Quoi?

STÉPHANE

Je vais être papa! *(Il embrasse Rachel qui reste bouche bée, puis Jean.)* Je vais être papa!

ODILE

(Qui n'a pas été embrassée.) Pis moi?

STÉPHANE

Tu vas être «matante»! *(Il l'embrasse.)*

ODILE

Ben, félicitations!

JEAN

Je sais pas quoi dire.

CAROLE-ANNE

C'est peut-être mieux de même!

ODILE

Est-ce que je suis marraine?

CAROLE-ANNE

Juste si tu trouves un chum! C'est une farce.

JEAN

Je suis pépère!

RACHEL

Grand-père, Jean. Grand-père. Ça sonne déjà assez vieux de même.

CAROLE-ANNE

(À Rachel:) C'est vrai que ça vous rajeunit pas!

RACHEL

Merci.

CAROLE-ANNE

(Prenant Rachel à part:) Tu dois être contente, je te débarrasse de ton fils.

RACHEL

(Elle rit.) Ben… je suis pas choquée!

STÉPHANE

(À Odile:) Toi, tu vas faire une bonne gardienne!

ODILE

Oh! Ma tante, elle aime ben ça les p'tits bébés, mais faut pas oublier qu'elle a ben du travail. Elle est ben occupée.

CAROLE-ANNE

Comme notre appartement est à deux portes, c'est Rachel qui va être la mieux placée pour garder.

RACHEL

Moi?

CAROLE-ANNE

Je ferai pas garder mon enfant par n'importe qui. Pis comme j'ai mes études, mes sorties, mémère Arsenault va être la bienvenue!

RACHEL

Mémère Arsenault?

> *Comme dans un cauchemar, des pleurs de bébés se font entendre...*

STÉPHANE

C'est vrai que ça lui va bien!

TOUS *(sauf RACHEL bien entendu!)*

Mémère Arsenault!

RACHEL

Ben, c'est une mémère jeune qu'il va avoir, ce bébé-là! Il va avoir de la misère à me suivre! Je vous en passe un papier!

> *Sur une musique endiablée, Rachel entre-prend quelques pas de danse surprenants et conclut son numéro de «grand-maman dans le vent» en levant son poing dans les airs sous les regards ahuris de Jean, Odile, Stéphane et Carole-Anne.*

FIN